PREPARACIÓN
AL DIPLOMA DE ESPAÑOL

Nivel B1

Mónica García–Viñó

edelsa
GRUPO DIDASCALIA, S.A.

1.ª edición: 2013
7.ª impresión: 2018

© Edelsa Grupo Didascalia, S.A. Madrid, 2013.
Autora: Mónica García-Viñó.
Dirección y coordinación editorial: Departamento de Edición de Edelsa.
Diseño de cubierta: Departamento de Imagen de Edelsa.
Diseño y maquetación interior: Grafimarque S.L.

ISBN: 978-84-7711-353-9
Depósito legal: M-24668-2013

Impreso en España/*Printed in Spain*

CD Audio:
Locuciones y montaje sonoro: ALTA FRECUENCIA MADRID. Tel. 915195277,
www.altafrecuencia.com
Voces: Juani Femenía, José Antonio Páramo, Ariel Tobillo (voz argentina), Octavio
Eguiluz (voz mexicana).
Las locuciones en las que aparecen personajes famosos son adaptaciones de entrevistas
reales. Sin embargo, las voces son interpretadas por actores.

Nota:
La editorial Edelsa ha solicitado todos los permisos de reproducción correspondientes y da
las gracias a quienes han prestado su colaboración.

ÍNDICE

Nota: Con el fin de familiarizarse con la estructura de este examen y dada su complejidad, se recomienda al estudiante empezar por el examen 8, ya que viene acompañado de todas las indicaciones de las pautas para los exámenes (pág. 132).

INFORMACIÓN GENERAL

Los Diplomas de Español como Lengua Extranjera (DELE) son títulos oficiales de validez indefinida del Ministerio de Educación de España. La obtención de cualquiera de estos diplomas requiere una serie de pruebas.

El diploma DELE B1 equivale al tercero de los seis niveles propuestos en la escala del *Marco común europeo de referencia para las lenguas* (*MCER*). Acredita la competencia lingüística, cultural e intercultural que posee el candidato para:

- **Comprender los puntos principales** de textos claros y en lengua estándar si tratan sobre cuestiones que le son conocidas, ya sea en situaciones de trabajo, estudio o de ocio.
- **Desenvolverse** en la mayor parte de las **situaciones** que le puedan surgir durante un viaje por zonas donde se utiliza la lengua.
- **Producir textos sencillos** y coherentes sobre temas que le son familiares o en los que tiene un interés personal.
- **Describir** experiencias, acontecimientos, deseos y aspiraciones, así como justificar brevemente sus opiniones o explicar sus planes.

INSTRUCCIONES GENERALES

Como candidato a este examen, deberá:

- Presentarse a las pruebas con **su pasaporte, carné de identidad, carné de conducir** o cualquier documento de identificación oficial.
- Llevar **un bolígrafo** o algo similar que escriba con tinta y un lápiz del número 2.
- Tener a mano **las cuatro últimas cifras del código de inscripción**, ya que tendrá que anotarlas en las hojas de respuestas.
- Ser muy puntual.

Antes de cada prueba, el candidato debe:

- Comprobar la hoja de confirmación de datos.
- Completar o confirmar el número de inscripción de las hojas de respuesta.
- Aprender a rellenar con bolígrafo o con lápiz las casillas de las hojas de respuestas:
  - Hay una hoja de respuestas para las pruebas 1 y 2 y un cuadernillo.
  - La prueba 3 se presenta en un único cuadernillo, donde también se escriben las respuestas.

La **hoja de respuestas** se rellena de la siguiente manera:

- Apellido(s) y nombre, centro de examen, ciudad y país donde se examina, en mayúsculas y con bolígrafo.
- Las cuatro últimas cifras del código de inscripción (con lápiz del número 2). El código se pone dos veces, una con número y otra sombreando las casillas.
- Tiene que marcar las respuestas del examen con lápiz del número dos, como se indica a continuación:

¡ATENCIÓN!
FORMA DE MARCAR

CORRECTA

INCORRECTA

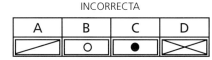

USE ÚNICAMENTE LÁPIZ DEL NÚMERO 2.
CORRIJA BORRANDO INTENSAMENTE.

Ojo: En algunos países o ciudades las hojas de respuesta vienen ya con los datos del candidato y las respuestas se rellenan solo con bolígrafo.

Importante: Se requiere la calificación de *apto* en cada uno de los dos grupos de pruebas en la misma convocatoria de examen.
Grupo 1: Comprensión de lectura y Expresión e interacción escritas.
Grupo 2: Comprensión auditiva y Expresión e interacción orales.
Cada grupo se puntúa sobre 50. La puntuación mínima para resultar apto es de 30 puntos.

En los exámenes originales los temas de cada una de las pruebas son diferentes entre sí. En este libro se ofrecen modelos de exámenes englobados por temas para facilitar el aprendizaje del vocabulario y el desarrollo de estrategias por parte del candidato.

Para más información le recomendamos que visite la dirección oficial de los exámenes http://diplomas.cervantes.es donde encontrará fechas y lugares de examen, precios de las convocatorias, modelos de examen y demás información práctica y útil para que tenga una idea más clara y precisa de todo lo relacionado con estos exámenes.

PRUEBA N.º 1   Comprensión de lectura (70 minutos)

Tarea 1:
- Extraer la idea principal e identificar información específica en textos breves.
- Relacionar declaraciones de personas o enunciados con textos. 6 ítems de respuesta preseleccionada. 9 opciones para 6 respuestas.
- Anuncios publicitarios, cartelera, mensajes personales del ámbito personal, público, profesional y académico. (Enunciados: 20-30 palabras; textos: 40-80 palabras).

Tarea 2:
- Extraer las ideas esenciales e identificar información específica en textos informativos simples. 6 ítems de respuesta preseleccionada con 3 opciones de respuesta.
- Leer un texto y responder a las preguntas de selección múltiple seleccionando una de las tres opciones de respuesta.
- Textos informativos del ámbito personal y público. (400-450 palabras).

Tarea 3:
- Localizar información específica en textos descriptivos, narrativos o informativos.
- Relacionar los 3 textos de entrada con preguntas o enunciados. 6 ítems de respuesta preseleccionada.
- Anécdotas, información práctica de guías de viajes, experiencias, noticias, diarios, biografías, ofertas de trabajo, etc., del ámbito público. (100-120 palabras).

Tarea 4:
- Reconstruir un texto a partir de sus elementos de cohesión.
- Completar párrafos con enunciados breves. 6 ítems. 8 opciones para 6 respuestas.
- Catálogos, instrucciones, recetas sencillas, consejos y textos narrativos, de los ámbitos público y personal. (400-450 palabras).

Tarea 5:
- Identificar y seleccionar estructuras gramaticales para completar textos epistolares sencillos.
- Leer un texto y completar los huecos seleccionando 1 de las 3 opciones de respuesta para cada uno de ellos. 6 ítems y 3 opciones de respuesta.
- Textos epistolares (cartas al director, cartas formales básicas y cartas o mensajes electrónicos personales…) de los ámbitos público y personal. (150-200 palabras).

Ver descripción detallada de cada tarea, págs.: 134-146.

PRUEBA N.º 2   Comprensión auditiva (40 minutos)

Tarea 1:
- Captar la idea principal en textos breves de tipo promocional o informativo. Selección múltiple. 6 ítems y 3 opciones de respuesta.
- 6 Monólogos cortos: anuncios publicitarios, mensajes personales, avisos…, de los ámbitos personal y público. (40-60 palabras).

Tarea 2:
- Captar la idea esencial y extraer información detallada de un monólogo de extensión larga. Selección múltiple. 6 ítems y 3 opciones de respuesta.
- Monólogo sostenido que describe experiencias personales del hablante. Ámbitos personal, público, profesional y académico. (400-450 palabras).

Tarea 3:
- Comprender la idea principal de un texto informativo. Selección múltiple. 6 ítems y 3 opciones de respuesta.
- Escuchar un texto y responder a las preguntas de selección múltiple, seleccionando 1 de las 3 opciones de respuesta.
- Un programa informativo de radio o televisión con 6 noticias. (350-400 palabras).

Tarea 4:
- Captar la idea general de monólogos o conversaciones breves informales en los que se cuentan anécdotas o experiencias personales sobre un mismo tema.
- Relacionar enunciados con 6 textos del ámbito público y profesional. (50-70 palabras).

Tarea 5:
- Reconocer información específica en conversaciones informales. Selección múltiple. 6 ítems y 3 opciones de respuesta.
- Conversación entre 2 personas. Ámbitos personal y público. (250-300 palabras).

Ver descripción detallada de cada tarea, págs.: 147-154.

PRUEBA N.º 3   Expresión e interacción escritas (60 minutos)

Tarea 1:
- A partir de la lectura de un texto breve, producir un texto informativo sencillo y cohesionado: una carta o un mensaje de foro, correo electrónico o blog, que puede incluir descripción o narración.
- Estímulo escrito (80 palabras) en forma de nota, anuncio, carta o mensaje (correo electrónico, foro, muro de una red social, blog, revista…) que sirve de base para la redacción del texto de salida. Ámbitos personal y público. (100-120 palabras).

Tarea 2:
- Redactar un texto descriptivo o narrativo (composición, redacción, entrada de diario, biografía) en el que se exprese opinión y se aporte información de interés personal relacionada con experiencias personales, sentimientos, anécdotas. (130-150 palabras). Se ofrecen 2 opciones, de las que hay que elegir 1.

Ver descripción detallada de cada tarea, págs.: 155-157.

PRUEBA N.º 4   Expresión e interacción orales (15 minutos + 15 minutos de preparación)

Tarea 1:
- Monólogo sostenido breve (2-3 minutos), a partir de un tema y unas preguntas que el candidato elige entre 2 opciones dadas. Se proporciona una lámina con un tema o un titular (80 y 100 palabras) y preguntas para pautar la respuesta del candidato.

Tarea 2:
- Participar en una conversación sobre el tema de la tarea 1 en la que el entrevistador preguntará por su opinión o su experiencia personal. (3-4 minutos).

Tarea 3:
- Describir una fotografía, siguiendo las pautas establecidas, y responder a las preguntas del entrevistador, que relacionará la imagen con el entorno del candidato. 2 opciones. Se elige 1. No se prepara antes. (2-3 minutos).

Tarea 4:
- Conversación con el examinador para simular una situación cotidiana, a partir de la fotografía de la tarea 3. (2-3 minutos).

Ver descripción detallada de cada tarea, págs.: 158-159.

LAS PERSONAS: SU FÍSICO, SU CARÁCTER Y SUS RELACIONES

Te recomendamos este útil y práctico material para ampliar el vocabulario de español.

VOCABULARIO

FICHA DE AYUDA
Para la expresión e interacción
escritas y orales

FAMILIA

Abuelo/a (el, la) ....
Gemelo/a (el, la) ....
Hijo/a (el, la) ....
Madre (la) ....
Madrina (la) ....
Mellizo/a (el, la) ....
Nieto/a (el, la) ....
Padre (el) ....
Padrino (el) ....
Primo/a (el, la) ....
Sobrino/a (el, la) ....
Tío/a (el, la) ....
Familia política
Cuñado/a (el, la) ....
Nuera (la) ....
Suegro/a (el, la) ....
Yerno (el) ....

RELACIONES

Amigo/a (el, la) ....
Colega (el, la) ....
Compañero/a (el, la) ....
Conocido/a (el, la) ....
Desconocido/a (el, la) ....
Pandilla (la) ....
Pareja (la) ....
Pariente (el, la) ....
Vecino/a (el, la) ....
- de estudios ....
- de piso ....
- de trabajo ....

DESCRIPCIÓN FÍSICA

Alto/a ....
Bajo/a ....
Delgado/a ....
Fuerte ....
Gordo/a ....
Pelo
Calvo ....
Canoso ....
Castaño ....
Corto ....
Largo ....
Liso ....
Moreno ....
Pelirrojo ....

DESCRIPCIÓN FÍSICA (continúa)

Rizado ....
Rubio ....
Ojos
Claros (azules, verdes, grises) ....
Oscuros (negros, marrones) ....

DESCRIPCIÓN PERSONALIDAD

Defectos ≠ Cualidades negativas ....
Virtudes ≠ Cualidades positivas ....
Adjetivos
Abierto/a ≠ Cerrado/a ....
Aburrido/a ≠ Divertido/a ....
Atento/a ....
Detallista ....
Egoísta ≠ Generoso/a ....
Nervioso/a ≠ Tranquilo/a ....
Optimista ≠ Pesimista ....
Puntual ≠ Impuntual ....
Responsable ≠ Irresponsable ....
Simpático/a ≠ Antipático/a ....
Tímido/a ≠ Sociable ....
Trabajador/-a ≠ Vago/a ....
Sustantivos
Egoísmo (el) ....
Generosidad (la) ....
Optimismo (el) ....
Pesimismo (el) ....
Simpatía (la) ....
Timidez (la) ....

VERBOS

Caer bien/mal (a) ....
Casarse (con) ....
Divorciarse (de) ....
Enamorarse (de) ....
Gustar ....
Llevarse bien/mal (con) ....
Parecerse (a) ....
Pelearse (con) ....
Quedar (con) ....
Romper (con) ....
Separarse (de) ....

EXPRESIONES

Ser almas gemelas ....
Ser como dos gotas de agua ....
Ser uña y carne ....
Llevarse como el perro y el gato ....

PRUEBA 1  Comprensión de lectura

70 min Tiempo disponible para las 5 tareas.

TAREA 1

A continuación va a leer seis textos en los que unas personas hablan del personaje público al que admiran y diez textos que informan sobre personajes que cambiaron el mundo. Relacione a las personas, 1-6, con los textos que informan sobre los personajes, a)-j). Hay tres textos que no debe relacionar.

PREGUNTAS

	PERSONA	TEXTO
0.	ALICIA	c)
1.	ROBERTO	
2.	MARISA	
3.	JUAN	
4.	NATALIA	
5.	EDUARDO	
6.	PAULA	

0. ALICIA	Personalmente, si hay algo que odio de verdad es la agresividad, por eso admiro a la gente que es capaz de luchar por sus ideales sin usar la violencia.
1. ROBERTO	Yo valoro mucho a la gente que se hace a sí misma, que empieza desde abajo. La gente de origen modesto que llega a ser importante.
2. MARISA	Tengo que decir que soy una romántica. Me gusta la gente que no ha conseguido el éxito durante su vida sino que el reconocimiento les ha llegado tras su muerte.
3. JUAN	A mí no me gusta la excesiva especialización de nuestros días. Por eso admiro a los personajes que han trabajado en diferentes campos, no en uno solo.
4. NATALIA	Pues a mí me encanta la gente con inteligencia emocional. Es decir, los que son capaces de utilizar su atractivo personal para triunfar.
5. EDUARDO	Yo admiro a aquellos que dedican su esfuerzo a mejorar la vida de la gente normal, sobre todo en el campo de la salud. Ahora se pueden curar enfermedades que antes eran mortales.
6. PAULA	A mí no me gustan los investigadores que pasan su vida en un laboratorio o una biblioteca... Prefiero a aquellos que, al mismo tiempo, son aventureros y hacen sus descubrimientos observando la naturaleza.

PERSONAJES QUE CAMBIARON EL MUNDO

a) **THOMAS ALVA EDISON.** Nace en Ohio (EE. UU.) en 1847. Empezó como vendedor de periódicos en el ferrocarril y luego trabajó en distintas ciudades como operador de telégrafos. Es el creador de varios inventos importantes: el fonógrafo, la primera lámpara incandescente y una rudimentaria máquina de cine.

b) **LEONARDO DA VINCI.** Es el modelo de genio renacentista. Aunque su faceta más conocida es la de pintor, también destacan sus trabajos en anatomía, arquitectura, ciencia, filosofía, ingeniería, música... Se adelantó a su tiempo proponiendo inventos tales como el helicóptero o el submarino.

c) **GHANDI.** Nace en 1869 en la India en el seno de una familia de clase privilegiada. En 1893 va a Sudáfrica a trabajar y allí sufre el racismo, lo cual despierta su conciencia social. Empieza a luchar a favor de los derechos de los indios y de su independencia, pero siempre de un modo pacífico.

d) **NELSON MANDELA.** Estuvo veintisiete años en la cárcel por luchar contra el *apartheid* en su país. Tras su liberación lideró a su partido en las negociaciones para conseguir una democracia multirracial en Sudáfrica, cosa que se consiguió en 1994 con las primeras elecciones democráticas, dando prioridad a la reconciliación entre los diferentes grupos raciales.

e) **NAPOLEÓN.** Nacido de una familia de la pequeña nobleza local de Córcega, es considerado un genio militar. En poco más de diez años, consiguió controlar casi toda Europa Occidental y Central mediante conquistas o alianzas. Fue derrotado en 1813 y exiliado, pero logró volver al poder durante el periodo llamado *los Cien Días*. En 1815 fue finalmente derrotado en la batalla de Waterloo.

f) **CLEOPATRA.** Fue la última reina del antiguo Egipto, cuando este había perdido ya todo su poder. Con su encanto personal, logró seducir primero a Julio César y luego a Marco Antonio, consiguiendo dar importancia de nuevo a su país. Pero cuando Octavio llegó al poder y convirtió Egipto en una provincia, ella prefirió suicidarse.

g) **CHARLES DARWIN.** Empieza la carrera de Teología en Cambridge, pero el botánico John Henslow despierta en él un enorme interés por la Historia Natural. Viaja por todo el mundo observando animales y plantas, lo que le lleva a crear la teoría de la selección natural y de la evolución.

h) **CRISTÓBAL COLÓN.** Hay dudas sobre el lugar de su nacimiento. Contrariamente a lo que piensan en su época, él cree que La Tierra es redonda y propone a la Corte portuguesa llegar a las Indias atravesando el Atlántico, pero su plan es rechazado. Se dirige entonces a los reyes de España, que aceptan su proyecto y el 12 de octubre de 1492 llega a las Bahamas.

i) **ALEXANDER FLEMING.** Nace en Gran Bretaña en 1881. Con veinticinco años empieza a trabajar en el Saint Mary's Hospital de Londres, donde descubre las propiedades inhibidoras de la lisozima. En 1928 es nombrado catedrático de la Universidad de Londres. El mismo año descubre la penicilina, primer antibiótico usado ampliamente en medicina, que ha salvado desde entonces millones de vidas.

j) **JOHANNES GUTENBERG.** Como no tiene dinero para llevar a cabo su idea de crear una máquina capaz de imprimir libros, se asocia con el comerciante Johann Fust. El primer libro que imprime es una biblia. Pero Fust le reclama su dinero y Gutenberg tiene que cederle su invento. Muere pobre y arruinado, pero ahora se le considera el padre de la imprenta.

TAREA 2

A continuación hay un texto sobre la familia mexicana a través de la historia. Después de leerlo, elija la respuesta correcta, a), b) o c), para las preguntas, 7-12.

LA FAMILIA MEXICANA

En el México prehispánico, antes de la conquista, la autoridad recaía en el padre, que aconsejaba a sus hijos: «Ama, respeta, y obedece a tus padres»; «no te rías del anciano, del enfermo, del ciego…». Había una vigilancia estricta de la castidad; las relaciones fuera del matrimonio se sancionaban severamente. La mayoría de los hombres tenían una sola mujer. Solo los jefes podían tener varias mujeres.

La conquista española significó el enfrentamiento de dos culturas. Debido al cristianismo, se modificaron las costumbres familiares de los indígenas, aunque no existía un solo tipo de familia, por la mezcla de razas y clases sociales. En el México colonial el padre era la máxima autoridad y enseñaba a sus hijos la agricultura o los oficios artesanales. La madre se encargaba de las tareas domésticas. Los hijos menores debían obedecer al mayor, quien recibía los bienes de la familia, pero también la responsabilidad de mantenerla. Al casarse una pareja, las dos familias se unían y se organizaban en empresas familiares. Además, por influencia del cristianismo, los hombres de la clase gobernante hicieron menos evidente su relación con varias mujeres. Otro cambio es que los jóvenes escogían a su esposa, que antes elegía la familia y la comunidad.

En el siglo XIX, la mayoría de las familias vivían en comunidades rurales dedicadas a la agricultura, en la que participaban los niños desde muy pequeños. La mujer realizaba el trabajo del hogar y el hombre seguía siendo la autoridad en la familia. El compadrazgo era una institución muy importante, porque evitaba el abandono de los niños que quedaban huérfanos, debido a la elevada tasa de mortalidad materna por falta de atención médica. Otro de los cambios importantes fue la incorporación de la mujer al trabajo en hospitales o como maestras.

En el siglo XX se producen también importantes transformaciones: niños y jóvenes adquieren una serie de derechos que deben respetarse. La educación obligatoria refuerza algunos valores familiares tradicionales y modifica otros. La autoridad paterna es menos rígida y la madre, que trabaja muchas veces fuera del hogar, adquiere más poder de decisión, pero también aumentan sus responsabilidades, ya que generalmente sigue encargándose del trabajo doméstico. Su incorporación al trabajo pone en duda los roles tradicionales de hombres y mujeres. Por otro lado, se ha incrementado la separación de las parejas; existe violencia dentro de la familia, así como un mayor abandono y olvido de los ancianos, a veces considerados una carga. En este contexto no es raro que los hijos rechacen todo tipo de reglas provenientes de los adultos.

La sociedad de fin del siglo XX fue producto, en parte, de las transformaciones de la familia mexicana. Es importante reflexionar para identificar qué cambios son beneficiosos o perjudiciales, para decidir qué tipo de familia queremos para el futuro.

Adaptado de http://www.conevyt.org.mx

PREGUNTAS

7. Según el texto, antes de la llegada de los españoles:
   a) No se respetaba a la madre.
   b) Muchos hombres se casaban con varias mujeres.
   c) El padre era el jefe de la familia.

8. En el texto se dice que la llegada de los españoles y el cristianismo:
   a) Supone un cambio total en el concepto de *familia* en México.
   b) Acaba con algunos privilegios de la clase alta.
   c) Hace que haya un modelo de familia único.

9. En el texto se afirma que, tras la conquista, los hijos mayores:
   a) Tenían más privilegios, pero también más deberes.
   b) Pasaron a tener la máxima autoridad de la familia.
   c) Eran los únicos que podían elegir con quién casarse.

10. Según el texto, en el siglo XIX:
    a) Gran parte de la población vivía en el campo.
    b) Los niños morían por falta de cuidados médicos.
    c) La familia era muy diferente a épocas anteriores.

11. En el texto se afirma que en el siglo XX:
    a) La familia mexicana ha mejorado en todos los aspectos.
    b) La mujer tiene doble trabajo.
    c) Los hombres se encargan de los trabajos de la casa.

12. Según el texto:
    a) La familia no cambiará en el futuro.
    b) Los cambios en la familia influyen en la sociedad.
    c) La familia mexicana debe cambiar.

Preparación Diploma de Español (Nivel B1)

TAREA 3

A continuación va a leer tres textos en los que unas personas cuentan cómo conocieron a sus parejas. Después, relacione las preguntas, 13-18, con los textos, a), b) o c).

PREGUNTAS

	a) Magda	b) Nuria	c) Carmen
13. ¿Quién dice que al principio no le gustaba?			
14. ¿Quién conoció a su novio cuando todavía era menor de edad?			
15. ¿Quién dice que tiene lazos familiares con su novio?			
16. ¿Quién dice que conoció a su novio por Internet?			
17. ¿Quién dice que tienen aficiones muy diferentes?			
18. ¿Quién cuenta que se separaron y luego volvieron a unirse?			

a) Magda

Pues yo conocí a mi novio hace diez años. Ahora tengo veintiséis y él, veintisiete. ¡Imaginaos lo jóvenes que éramos! Fue en el cumpleaños de una de mis mejores amigas. Él era amigo de su hermano mayor y no conocía a nadie, así que estaba un poco aburrido, sentado en un rincón, solo. A mí me gustó en cuanto lo vi. ¡Se parece un montón a Johnny Depp! Me daba vergüenza acercarme, soy un poco tímida, pero al final me armé de valor y me acerqué a él. Nos pusimos a hablar de cosas y vimos que teníamos muchas aficiones en común. Al final, nos intercambiamos los teléfonos y pronto empezamos a salir.

b) Nuria

Pues Carlos y yo éramos compañeros de trabajo. Tengo que confesar que al principio me caía fatal. ¡Somos tan distintos! A él le encanta el campo y yo soy una urbanita convencida. Él adora las películas de acción y yo no soporto la violencia... El caso es que en una comida de empresa nos sentamos juntos y no tuvimos más remedio que hablar. Descubrí que era muy divertido y empezó a gustarme. Pero ¡qué mala suerte!, a la semana siguiente lo trasladaron a la oficina de Barcelona. Seguimos en contacto por correo electrónico y chat. En verano quedamos y nos vimos durante una semana. Yo pedí el traslado a Barcelona y me lo dieron. Llevamos cinco años juntos.

c) Carmen

Yo conocí a Juan, mi novio, en un foro. Acababa de llegar a Lyon a trabajar y estaba un poco sola. Me hablaron de un foro en el que participaban otras personas en mi misma situación: los que tenían más experiencia la compartían con los recién llegados. Como necesitaba saber algunas cosas prácticas, entré una noche y pregunté algo sobre papeleos que tenía que hacer. Juan me contestó muy amablemente y yo le contesté dándole las gracias. Luego resultó que era de mi mismo pueblo, ¡qué casualidad! Hablando y hablando descubrimos que su hermano está casado con una prima mía. Quedamos un día y la verdad es que fue amor a primera vista...

TAREA 4

A continuación va a leer un texto del que se han extraído seis fragmentos. Después, lea los ocho fragmentos, a)-h), y decida en qué lugar del texto, 19-24, va cada uno. Hay dos fragmentos que no tiene que elegir.

EL MITO DE DON JUAN

Los psicólogos dicen que es un síndrome infantil, pero ¿qué hombre no ha soñado alguna vez con ser un don Juan?

La leyenda de Don Juan surgió durante la Edad Media, **19.** _____ relato en el que el promiscuo don Juan seduce a la hija de don Gonzalo, jefe militar de Sevilla. Después de matar al militar, acude al cementerio e invita a la estatua funeraria de su víctima a una cena. La estatua recobra vida, asiste al banquete y le devuelve la invitación. **20.** _____ .

Hacia 1657, unos actores ambulantes italianos escenificaron la obra en Francia. **21.** _____ . El dramaturgo francés Molière escribe una versión estrenada en 1665. Durante el siglo XVIII Goldoni retoma el tema en su «Juan Tenorio o el libertino castigado» (1734) y Mozart compuso con este libreto una de las mejores óperas de todos los tiempos, «Don Giovanni» (1787).

En el siglo XIX, con el Romanticismo, cambió el tratamiento del personaje. **22.** _____ . En cambio, el Romanticismo, que se sentía atraído por personajes rebeldes y amantes de la libertad, se sintió fascinado por esta figura, analiza su personalidad y teoriza sobre si el seductor, que hasta entonces encarnaba el mal, se siente culpable o no, y si puede salvarse. Lord Byron compuso entre 1819 y 1824 el poema «Don Juan»; Prosper Mérimée lo presenta con dos personalidades encontradas en «Las almas del purgatorio o los dos don Juan» (1834).

Como vemos, muchas obras se han escrito sobre don Juan a lo largo de la historia, **23.** _____ . Este autor transforma a don Juan en un héroe simpático que acaba en brazos de su amada, aunque sea en la otra vida...

El tema parecía agotado, pero el siglo XX siguió analizando al personaje a través de los estudios realizados por intelectuales de la talla de Gregorio Marañón, Américo Castro o Ramón Menéndez Pidal. **24.** _____ .

¿Habrá cabida para Don Juan en el siglo XXI?

Adaptado de http://www.masmasculino.com

Preparación Diploma de Español (Nivel B1)

FRAGMENTOS

a)

Es a partir de ese momento cuando la historia se extiende por toda Europa.

b)

Incluso el cine en los últimos años lo ha presentado de la mano de Gonzalo Suárez como un hombre atrapado por el destino en *Don Juan en los infiernos*.

c)

pero el primer tratamiento literario formal de la historia es *El burlador de Sevilla y convidado de piedra* (1630), de Tirso de Molina,

d)

Por eso se llama popularmente *don Juan* al hombre al que le gusta seducir a las mujeres y luego abandonarlas.

e)

De nuevo en el cementerio, el fantasma atrapa a don Juan y lo arroja al infierno.

f)

pero sin duda alguna la que más ha perdurado y se ha representado más veces es el Tenorio de Zorrilla (1844).

g)

Respecto al papel de la mujer en estas obras, suele ser el de una víctima del protagonista.

h)

Hasta ese momento don Juan siempre acababa castigado por sus pecados en el infierno.

TAREA 5

A continuación va a leer un mensaje de correo electrónico. Elija la opción correcta, a), b) o c), para completar los huecos, 25-30.

⊠ Sin título

Enviar ahora   Enviar más tarde   Insertar ▾   ≡ Categorías ▾

Para: [   ]
Asunto: [   ]

Fuente ▾   Tamaño ▾   N   *K*   S   T

Hola, Encarna:

Me divirtió mucho tu último correo con todos los cotilleos de la fiesta del cumpleaños de Alfonso. ¡Qué rabia me dio no poder ir!

Yo también tengo novedades. ¡Cristina tiene novio! ____25____ conocieron en la facultad en un seminario sobre Comunicación política. ¡Qué romántico!

El profesor ____26____ que para la evaluación tenían que hacer un trabajo por parejas y, como ninguno de los dos conocía a nadie en la clase, acabaron juntos. Y así empezó todo. Se llama Ricardo y es muy simpático, la verdad. Ya lo conocerás cuando ____27____ por aquí. Ella ____28____ muy contenta, como sabes estaba un poco deprimida desde que rompió con Jorge.

¡Ah! Otra cosa, ¿te acuerdas del chico ____29____ conocimos hace dos años en el viaje a Italia, visitando el Coliseo? Pues me lo encontré el otro día por casualidad en una discoteca. ____30____ principio, no lo reconocí, porque se ha dejado barba, pero luego estuvimos hablando un montón, recordando el viaje y eso. Al final hemos quedado en vernos otra vez pronto.

Te dejo porque tengo que ponerme a estudiar en serio. ¡Los exámenes empiezan la próxima semana y todavía no he abierto un libro!

Un beso,
Marina

PREGUNTAS

25.	a) Lo	b) Se	c) Le
26.	a) dice	b) decía	c) dijo
27.	a) vienes	b) vengas	c) vendrás
28.	a) es	b) siente	c) está
29.	a) que	b) quien	c) lo
30.	a) Al	b) De	c) Por el

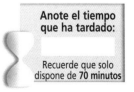

Anote el tiempo que ha tardado:

Recuerde que solo dispone de **70 minutos**

PRUEBA 2 — Comprensión auditiva

40 min Tiempo disponible para las 5 tareas.

CD I
Pista 1

TAREA 1

A continuación va a escuchar seis mensajes del buzón de voz de un teléfono. Oirá cada mensaje dos veces. Después, seleccione la opción correcta, a), b) o c), para cada pregunta, 1-6.
Dispone de 30 segundos para leer las preguntas.

PREGUNTAS

Mensaje 1

1. ¿Qué son Marta y Loli?
   a) Asistentas sociales.
   b) Cocineras.
   c) Canguros.

Mensaje 2

2. ¿Qué tienen que hacer los padres de Jaime Martínez?
   a) Llamar al director del colegio.
   b) Ir al colegio Santacruz.
   c) Esperar una llamada del director.

Mensaje 3

3. ¿Para qué llama Carmen?
   a) Para invitar a Isabel a una fiesta.
   b) Para pedir un favor a Isabel.
   c) Para invitar a Isabel a cenar.

Mensaje 4

4. ¿Qué relación tienen Ignacio y Luis?
   a) Compañeros de clase.
   b) Vecinos.
   c) Compañeros de trabajo.

Mensaje 5

5. ¿Qué quiere Margarita de Bea?
   a) Que compre un regalo a Laura.
   b) Que le dé su opinión.
   c) Que vaya a una tienda.

Mensaje 6

6. ¿Qué dice Cristian de Ana?
   a) Que está enfadada con Eduardo.
   b) Que quiere hablar con Eduardo.
   c) Que tiene problemas.

CD I

Pista 2

TAREA 2

A continuación va a escuchar un fragmento del programa Experiencias inolvidables *en el que Rosa cuenta cómo fue su boda. Lo oirá dos veces. Después, seleccione la opción correcta, a), b) o c), para cada pregunta, 7-12.*
Dispone de 30 segundos para leer las preguntas.

PREGUNTAS

7. Rosa cuenta que hizo una gran fiesta para su boda:
   a) Porque siempre había sido el sueño de su vida.
   b) Principalmente para contentar a su familia.
   c) Porque era muy importante para su marido.

8. En la grabación se dice que la abuela de Rosa:
   a) No tiene más nietos que Rosa.
   b) Murió antes de casarse Rosa.
   c) Quería para Rosa una boda mejor que la suya.

9. Con respecto al vestido, Rosa afirma que:
   a) Lo diseñó ella misma.
   b) Era un vestido antiguo de su abuela.
   c) No le quedó muy bien.

10. Según la grabación, lo más caro de la fiesta fue:
    a) La decoración floral.
    b) La comida y la bebida.
    c) El alquiler del lugar de celebración.

11. Según Rosa, el único punto negativo de la fiesta fue que:
    a) La tarta no estaba buena.
    b) La foto cortando la tarta no quedó bien.
    c) Estuvo a punto de perder una joya.

12. Rosa dice que lo más original de la fiesta fue:
    a) La decoración de las mesas.
    b) El diseño de las servilletas.
    c) El vídeo que se proyectó.

CD I

Pista 3

TAREA 3

A continuación va a escuchar seis noticias de un programa radiofónico argentino. Lo oirá dos veces. Después, seleccione la respuesta correcta, a), b) o c), para las preguntas, 13-18.
Dispone de 30 segundos para leer las preguntas.

PREGUNTAS

Noticia 1
13. Las dos chicas desaparecidas:
    a) Eran amigas.
    b) Desaparecieron el mismo día.
    c) Vivían en el mismo lugar.

Noticia 2
14. Marisol Miranday busca a su padre:
    a) Pero no sabe quién es.
    b) Y ya lo ha encontrado.
    c) Porque siente necesidad de conocerlo.

Noticia 3
15. El concurso Navidad solidaria:
    a) Tiene un límite de edad.
    b) No tiene premio.
    c) Consiste en preparar una comida.

Noticia 4
16. La víctima:
    a) Tenía veintitrés años.
    b) Fue culpable del accidente.
    c) Acababa de casarse.

Noticia 5
17. El Día de la No Violencia hacia las Mujeres:
    a) Se celebró solo en Morón.
    b) Terminó con un concierto.
    c) Tuvo poca participación.

Noticia 6
18. Según este informe, los adolescentes estadounidenses:
    a) No son controlados por sus padres en el uso de Internet.
    b) Reaccionan de modo diferente al relacionarse con sus padres por Internet.
    c) No utilizan las mismas redes sociales que sus padres.

CD I
Pista 4

TAREA 4

A continuación va a escuchar a seis personas contando situaciones en que hicieron el ridículo o que-daron mal. Oirá a cada persona dos veces. Después, seleccione el enunciado, a)-j), que corresponde al tema del que habla cada persona, 19-24. Hay diez enunciados (incluido el ejemplo), pero debe seleccionar solamente seis.
Dispone de 20 segundos para leer los enunciados.

ENUNCIADOS

a) Tuvo un error intercultural.
b) Entró en un lugar prohibido.
c) La persona no caminaba bien.
d) Se rio en una situación triste.
e) *Pensaba que hablaba con otra persona.*
f) Habló de tú a una persona importante.
g) Escribió a alguien que no debía.
h) Llegó tarde a una cita importante.
i) Intentó ayudar a alguien que no lo necesitaba.
j) Creyó que la otra persona estaba enferma.

	PERSONA	ENUNCIADO
	Persona 0	e)
19.	Persona 1	
20.	Persona 2	
21.	Persona 3	
22.	Persona 4	
23.	Persona 5	
24.	Persona 6	

CD I
Pista 5

TAREA 5

A continuación va a escuchar una conversación entre dos amigos, Carlos y Rita. La oirá dos veces. Después, decida si los enunciados, 25-30, se refieren a Carlos, a), Rita, b), o a ninguno de los dos, c). Dispone de 25 segundos para leer los enunciados.

		a) Carlos	b) Rita	c) Ninguno de los dos
0.	Se sorprende al ver al otro.		✔	
25.	Normalmente tiene otro horario laboral.			
26.	Ha tenido un problema familiar recientemente.			
27.	Está esperando un bebé.			
28.	No está casado.			
29.	No tiene prisa.			
30.	Es impuntual.			

Anote el tiempo que ha tardado:

Recuerde que solo dispone de **40 minutos**

PRUEBA 3 · Expresión e interacción escritas

60 min
Tiempo disponible para las 2 tareas.

TAREA 1

Usted quiere conocer a gente porque acaba de llegar a una ciudad nueva y lee este anuncio.

ANUNCIOS 11

Hola, me llamo Paco y soy nuevo en la ciudad. Quiero conocer gente (chicos o chicas, da igual) para salir. Soy ingeniero informático y tengo 35 años, pero no me importa salir con gente mayor o más joven. Lo importante es que sea gente animada y divertida. Me gusta el cine, el teatro, los museos, bailar... También me encanta la naturaleza y hago buceo y escalada.
Si te interesa, escríbeme a mi correo electrónico (*pacopaco@hotmail.com*) contándome sobre ti y tus aficiones.

Escriba un correo electrónico a Paco (entre 100-120 palabras) en el que deberá:
- Saludar.
- Describirse a usted mismo en cuanto a físico, carácter y gustos.
- Describir el tipo de personas que le gustan y los defectos que no soporta.
- Explicar cómo y cuándo ponerse en contacto con usted.
- Despedirse.

TAREA 2

Lea la siguiente entrada de un blog.

BLOG

El otro día me encontré con una amiga de mi infancia a la que no veía desde hacía años. Así que hoy os propongo que contemos cómo conocimos a algún amigo o amiga especial. Venga, animaos y contad vuestras experiencias...

Escriba un comentario (entre 130-150 palabras) en este blog contando:
- Dónde y cómo conoció a ese amigo especial.
- Qué impresión le causó al principio.
- Cómo continuó su relación con él/ella.
- Qué es lo que más le gusta de esta persona.
- Si la amistad continúa.

Anote el tiempo que ha tardado:

Recuerde que solo dispone de **60 minutos**

Apuntes de gramática

- El verbo para describir, tanto el físico como el carácter, es *ser*.
- Para matizar, se usa: *muy, bastante, un poco* (solo con defectos): *Soy bastante generoso.*
- El verbo *gustar* concuerda con lo que te gusta: *Me gustan las personas sociables.*
- Para hablar de lo que se prefiere en una persona, se puede usar *lo que más/menos: En una persona, lo que más me gusta es su sinceridad.*
- No se usa *muy* con adjetivos que expresan una cualidad en su grado máximo (*encantador, fantástico, maravilloso*).
- La edad se expresa con *tener.*
- Para describir a alguien y hablar de sus hábitos y costumbres en la actualidad, se usa el presente. Si es en el pasado, se usa el pretérito imperfecto.
- Para hablar de cómo conociste a una persona, se usa el p. perfecto simple (indefinido) (para las acciones) y el p. imperfecto (para las circunstancias).
- Para relacionar las partes de un relato, se usan conectores temporales como *unos días más tarde, algún tiempo después,* etc.

Descripción física

Soy alto/bajo, rubio/moreno, gordo/delgado.
Tengo:
- *los ojos azules, verdes, marrones...*
- *el pelo largo/corto, liso/rizado, rubio/moreno...*
- *bigote/barba/gafas...*

Hablar de defectos

No soporto...
- *a las personas pesimistas.*
- *que la gente sea egoísta.*

No me gusta(n)...
- *la gente que es ambiciosa.*
- *que mis amigos no me llamen.*

Me molesta(n)...
- *la gente que habla mucho.*
- *que mis amigos no respeten a los demás.*

Odio...
- *que ellos nunca digan la verdad.*

Personas que prefiero

Me encanta(n)/gusta(n)...
- *la gente que es amable.*
- *las personas que son deportistas.*

Prefiero...
- *las personas con sentido del humor.*
- *que la gente sea trabajadora.*

Me interesa(n)...
- *las personas que se preocupan por el medio ambiente.*

Ponerse en contacto

Si estás interesado en contactar/ponerte en contacto conmigo, puedes...
- *escribirme a mi dirección de correo...*
- *dejarme un mensaje en...*
- *llamarme al...*

Si te interesa conocer gente como yo,...
- *escríbeme a...*
- *envíame un mensaje al...*
- *puedes contactar conmigo en...*

examen 1

PRUEBA 4  Expresión
e interacción orales

15 min Tiempo disponible para preparar las tareas 1 y 2.

15 min Tiempo disponible para realizar las 4 tareas.

TAREA 1

EXPOSICIÓN DE UN TEMA

Tiene que hablar durante 2 o 3 minutos sobre este tema.

Hable de **un personaje público actual, de su país o de otro, a quien le gustaría conocer.**

Incluya la siguiente información:
- Quién es esa persona, de dónde es, a qué se dedica, por qué es conocido.
- Qué ha hecho este personaje en su vida.
- Por qué lo admira. Qué es lo que más le gusta de este personaje y lo que menos.
- De qué le gustaría hablar con este personaje, qué le diría, qué le gustaría hacer con él.

No olvide:
- Diferenciar las partes de su exposición: introducción, desarrollo y conclusión.
- Ordenar y relacionar bien las ideas.
- Justificar sus opiniones y sentimientos.

TAREA 2

CONVERSACIÓN CON EL ENTREVISTADOR

Después de terminar la exposición de la Tarea 1, deberá mantener una conversación con el entrevistador sobre el mismo tema.

Ejemplos de preguntas
- ¿Qué cualidades valora usted en las personas?
- ¿Qué otros personajes públicos admira?
- ¿Qué personajes de la vida pública odia?
- ¿Qué personaje de la historia de la humanidad es su preferido?

TAREA 3

DESCRIPCIÓN DE UNA FOTO

Observe detenidamente esta foto.

Describa detalladamente (1 o 2 minutos) lo que ve y lo que imagina que está pasando. Puede comentar, entre otros, estos aspectos:
- Quiénes son y qué relación tienen.
- Qué están haciendo.
- Dónde están.
- Qué hay.
- De qué están hablando.

A continuación, el entrevistador le hará unas preguntas (2 o 3 minutos).

Ejemplos de preguntas
- ¿Ha vivido alguna vez lejos de su familia por un tiempo largo? ¿Cómo se sentía?
- ¿A quién echaba más de menos?
- Si no ha tenido esta experiencia, ¿le gustaría vivir una experiencia similar?
- ¿A quién echaría más de menos en ese caso? ¿Por qué?

TAREA 4

SITUACIÓN SIMULADA

Usted va a conversar con el entrevistador en una situación simulada (2 o 3 minutos).

Usted está haciendo preparativos para celebrar una fiesta de bienvenida para su hermana que ha pasado un año en el extranjero por trabajo. Necesita ayuda para organizarlo todo y habla con uno de sus hermanos para pedirle su colaboración.
Imagine que el entrevistador es su hermano, hable con él de los siguientes temas:
- Explíquele lo que está organizando y por qué.
- Dele detalles de la fiesta (lugar, día, hora...).

Ejemplos de preguntas
- Hola, te veo muy ocupado, ¿qué estás haciendo?
- ¿Y cuándo piensas hacer la fiesta?
- ¿A quién se lo has dicho?

VIVIENDAS Y MUEBLES

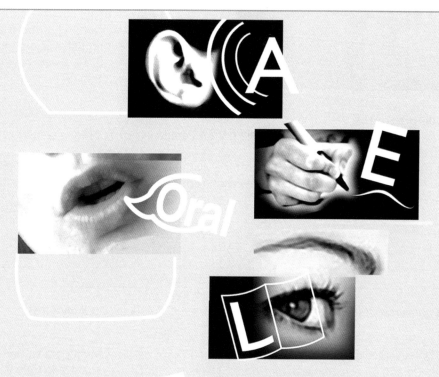

Te recomendamos este útil y práctico material para ampliar el vocabulario de español.

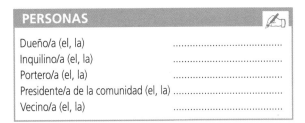

VOCABULARIO

FICHA DE AYUDA
Para la expresión e interacción
escritas y orales

PERSONAS

Dueño/a (el, la) ....
Inquilino/a (el, la) ....
Portero/a (el, la) ....
Presidente/a de la comunidad (el, la) ....
Vecino/a (el, la) ....

EDIFICIOS

Ascensor (el) ....
Ático (el) ....
Bajo (el) ....
Balcón (el) ....
Escaleras (las) ....
Pared (la) ....
Piso (el) = Planta (la) ....
Portal (el) ....
Puerta (la) ....
Sótano (el) ....
Techo (el) ....
Tejado (el) ....

TIPO DE VIVIENDAS

Apartamento (el) ....
Estudio (el) ....
Chalé (el) ....
- independiente ....
- adosado ....
Dúplex (el) ....
Piso (el) ....

HABITACIONES

Baño (el) ....
Cocina (la) ....
Comedor (el) ....
Dormitorio (el) ....
- de matrimonio ....
- de los niños ....
Entrada (la) = Recibidor (el) ....
Estudio (el) ....
Pasillo (el) ....
Patio (el) ....
Sala de estar (la) ....
Salón (el) ....

MUEBLES Y OTROS

Alfombra (la) ....
Armario (el) ....
Cama (la) ....

MUEBLES Y OTROS (continúa)

Cómoda (la) ....
Espejo (el) ....
Estantería (la) ....
Lámpara (la) ....
Litera (la) ....
Mesa (la) ....
- de ordenador ....
- escritorio ....
Mesilla de noche (la) ....
Sillón (el) ....
Sofá (el) ....

ELECTRODOMÉSTICOS

Aire acondicionado (el) ....
Cocina (la) ....
- eléctrica ....
- de gas ....
- vitrocerámica ....
Lavadora (la) ....
Lavavajillas (el) ....
Microondas (el) ....
Nevera (la) = Frigorífico (el) ....

SANITARIOS

Bañera (la) ....
Bidé (el) ....
Ducha (la) ....
Lavabo (el) ....
Váter (el) ....

VERBOS

Alojarse ....
Alquilar
Amueblar
Construir
Decorar
Mudarse
Reformar ....

DESCRIPCIÓN DE LA VIVIENDA

A las afueras ....
Amplia ....
Bien comunicada ....
Interior ≠ Exterior ....
Luminosa ≠ Oscura ....
Ruidosa ≠ Tranquila ....

PRUEBA 1  Comprensión de lectura

70 min
Tiempo disponible para las 5 tareas.

TAREA 1

A continuación va a leer seis textos en los que unas personas hablan de la casa que desean y diez anuncios de viviendas. Relacione a las personas, 1-6, con los textos que informan sobre las viviendas, a)-j). Hay tres textos que no debe relacionar.

PREGUNTAS

	PERSONA	TEXTO
0.	ELENA	g)
1.	JUAN	
2.	CHARO	
3.	VÍCTOR	
4.	FÁTIMA	
5.	PABLO	
6.	ERNESTO	

0. ELENA	Pues yo he tenido tantos problemas con la comunidad que mi sueño es una casa independiente y lo más alejada de cualquier zona habitada como sea posible.
1. JUAN	Yo, como viajo tanto, por ahora no me he planteado comprar. Me convendría algo tipo estudio: una sola habitación, cocina americana, un baño pequeñito...
2. CHARO	Con tres niños necesitamos un piso grande, de tres dormitorios mínimo. Que no sea una planta muy alta: me parece peligroso con niños pequeños, pero no quiero irme a las afueras...
3. VÍCTOR	Pues yo, como no me puedo permitir nada demasiado grande ni en el centro, supongo que me tendré que conformar con algo en las afueras. Eso sí, necesito dos habitaciones porque con tanto libro...
4. FÁTIMA	Siempre he querido tener algo mío en el centro, pero quiero algo donde pueda aparcar bien y que dé a una calle amplia, porque para mí lo más importante es la luz.
5. PABLO	Mi mujer insistió en una casa con jardín. Pero luego el que se ocupaba de él era yo. Ahora quiero algo amplio en el centro a ser posible, y con dos plantas.
6. ERNESTO	A mí me gustaría disfrutar de una piscina y un jardín, pero sin tener que ocuparme de ellos. Dan mucho trabajo y además son muy caros de mantener.

| todos | particulares | profesionales | menos ▼ |

VIVIENDAS EN ALQUILER Y VENTA

a) **DÚPLEX** de tres dormitorios en pleno centro de Madrid. Edificio de 1900 completamente reformado. En planta baja, salón comedor, cocina y aseo. En planta superior, dormitorios y baño completo. Escalera comunitaria de madera. Ascensor.

b) **VIVIENDA SEGUNDA MANO** en barrio tranquilo, a diez minutos del centro en metro. Amplio salón, dos dormitorios con posibilidad de un tercero y 2 baños (uno con ducha y otro con bañera). Primera planta y junto a colegio. Posibilidad de dejar la vivienda amueblada. 200 000 no negociables por estar por debajo de su precio de compra.

c) En pleno **CENTRO DE MADRID**, piso de dos dormitorios. Exterior y muy luminoso. Baño completo y aseo para invitados. Amplio salón con terraza. Tarima en toda la vivienda. Cocina abierta al salón. Cuarto piso con ascensor. Posibilidad de plaza de garaje.

d) **ZONA ARAPILES:** piso de alquiler de 200 m^2. Quinto piso con ascensor y montacargas. Amplio salón con terraza, comedor independiente, tres dormitorios. Dormitorio principal con cuarto de baño incluido y otro baño y aseo para invitados. Muy bien comunicado, en zona exclusiva.

e) **CHALÉ ADOSADO** de 120 m^2 de vivienda en dos plantas más bodega. En urbanización Alpedrete. Garaje para dos coches. Muy bien comunicado (a menos de cinco minutos tanto bus como renfe). Excelentes acabados. Zonas comunes (piscina y zona de juegos para niños).

f) **PISO** de dos dormitorios a 45 minutos del centro de Madrid. Cerca de la estación de tren. Salón comedor con chimenea. Baño completo y aseo. Cocina amueblada. Suelos de madera en dormitorio. Bonitas vistas de la sierra.

g) **GRAN OPORTUNIDAD.** Casa rústica de 300 m^2 en dos plantas, con 400 m^2 de parcela a 25 km de Madrid. 4 amplios dormitorios, cocina reformada, 2 baños completos, excelentes calidades, calefacción de gas natural, sistema de riego. Suelos de cerámica, ventanas de aluminio.

h) **CHALÉ** en Torrelodones (urbanización Los cisnes), junto a centro comercial. 200 m^2 construidos en tres plantas. Solárium. Garaje con plaza para tres coches. Jardín de 300 m^2 con piscina. Paneles solares instalados en tejado. Excelentes acabados. Precio negociable (urge venta).

i) **SE ALQUILA ÁTICO** en pleno centro de Madrid. En edificio histórico reformado hace cinco años en calle muy tranquila. Interior. Bien comunicado. Un dormitorio, un baño (acabado en mármol, ducha hidromasaje) y cocina amueblada abierta al salón. Amplia terraza.

j) **PISO** en barrio de Salamanca a reformar. Piso de 113 m^2, 4 dormitorios + 1 cuarto de plancha, portal reformado, con conserje y ascensor. Planta cuarta con ascensor, interior. Precio muy interesante. Muy buena comunicación con autobuses y metro muy cerca, facilidad para encontrar aparcamiento.

TAREA 2

A continuación hay un texto sobre la política de viviendas en Chile. Después de leerlo, elija la respuesta correcta, a), b) o c), para las preguntas, 7-12.

ENFEMENINO.TV	BELLEZA	MODA	NOVIAS	LUJO	MATERNIDAD	EN FORMA	PAREJA	MUJER DE HOY	PSICO & TESTS	ELLOS

VIVIR EN CHILE

Chile tiene una de las políticas de vivienda más exitosas del mundo. Actualmente, siete de cada diez chilenos son propietarios de hogares y desde 1990 se redujo el déficit habitacional a la mitad, con la construcción de casi dos millones de viviendas. El país se ha convertido en un modelo para muchos otros países.

Los extranjeros que arriban al país no tienen restricciones para adquirir propiedades. Las ofertas de residencias en Chile son variadas, también lo son los valores. En Iquique se puede arrendar una casa por unos 150 000 pesos. En Santiago, por el mismo precio, se puede arrendar un departamento de una o dos habitaciones. Pagando cuatro veces más se puede optar por una casa grande, con piscina y jardines. Con todo, las ciudades chilenas están entre las más económicas del mundo para vivir.

Estudiar en Chile es uno de los motivos que trae al país a numerosos extranjeros. Algunos son acogidos en casas de familias de clase media que están dispuestas a ser anfitrionas a cambio de una entrada económica para la casa, un contacto cultural interesante y un gasto menor para el estudiante extranjero que, además, accede a una situación que facilita su integración. La red social de estudiantes y profesores, así como el contacto con otros chilenos, permite informarse y agilizar los trámites una vez se está ya en Chile, o incluso desde el extranjero, acerca de estas familias.

También existe el sistema de pensiones o residenciales, donde el visitante puede arrendar una habitación en un barrio cercano al lugar de trabajo o estudio. Existe también la opción de los apartoteles, que ofrecen departamentos amoblados e independientes por periodos largos; además, por supuesto, de los hoteles tradicionales cuyo nivel de calidad, comodidades y precios está sugerido por su calificación en número de estrellas.

Es útil saber, para usar sin contratiempos los equipos electrónicos que pudiera traer, que la corriente eléctrica de uso doméstico en Chile es de 220 V. Se recomienda traer adaptadores o adquirirlos en tiendas electrónicas en Chile.

Si la permanencia es más prolongada y en plan familiar, hay departamentos nuevos, de diversos tamaños, y casas en barrios residenciales. Una buena alternativa son los condominios, ya que ofrecen reglas comunitarias internas de seguridad, servicios y recreación.

Si se busca contacto con la naturaleza sin alejarse demasiado de la ciudad, se puede optar por casas en la costa o en la montaña, generalmente disponibles a bajos precios fuera de temporada turística.

En Chile hay una extensa clase media y sus barrios en general son seguros. El residente, chileno o extranjero, debe tomar las precauciones lógicas de cualquier persona en cualquier parte del mundo para evitar problemas de seguridad. Además, la policía del país cuenta con el respeto de la población y un prestigio que la hace plenamente confiable.

Adaptado de http://www.thisischile.cl

PREGUNTAS

7. El texto dice que antes de la década de los noventa:
   a) Había un problema de vivienda en Chile.
   b) El 70 % de los chilenos era propietario de sus casas.
   c) Se contruyeron muchas viviendas.

8. El texto afirma que las viviendas en Chile:
   a) No pueden ser compradas por extranjeros.
   b) Tienen unos precios muy similares en todo el país.
   c) Son de las más baratas del mundo.

9. Según el texto, la opción de vivir con una familia chilena:
   a) Hace que muchos extranjeros vengan a Chile.
   b) Tiene muchas ventajas para un estudiante.
   c) Es más barato, pero difícil de gestionar.

10. El texto dice que las personas que vayan a visitar Chile deben:
    a) Comprar muebles si se alojan en un apartotel.
    b) Tener cuidado con sus aparatos eléctricos.
    c) Elegir hoteles cómodos y de calidad.

11. Según el texto, las casas en la costa o la montaña:
    a) Son más económicas en temporada baja.
    b) Están bastante alejadas de la ciudad.
    c) Son aconsejables si se viene a Chile con familia.

12. En el texto se afirma que en Chile:
    a) Los problemas de seguridad son como en otras partes.
    b) Hay muchos problemas de seguridad ciudadana.
    c) El extranjero no debe confiar en la policía.

TAREA 3

A continuación va a leer tres textos en los que tres personas hablan sobre sus casas. Después, relacione las preguntas, 13-18, con los textos, a), b) o c).

PREGUNTAS

		a) Alfonso	b) Verónica	c) Roberto
13.	¿Qué persona tuvo que pedir dinero para comprarla?			
14.	¿Qué persona ha sido propietaria de más de una casa?			
15.	¿Quién piensa hacer reformas en el futuro?			
16.	¿Qué persona dice que su casa está en la zona antigua de la ciudad?			
17.	¿Quién tiene problemas de aparcamiento?			
18.	¿Qué persona ha cambiado de opinión respecto a su casa ideal?			

a) Alfonso

Pues la casa donde vivo ha sido de mi familia por generaciones. Cuando se casó mi abuela, su padre la construyó para ella. Está en el centro histórico de Sevilla. Allí nacieron mi padre y mi tía y vivieron mis abuelos hasta su muerte. Luego se la quedó mi tía, porque mis padres se fueron a Madrid. Pero muchas veces yo iba allí a pasar las vacaciones. En un momento, mi tía quería irse a un chalé en las afueras y la casa estaba muy vieja y daba problemas. Yo acababa de conseguir un trabajo en Sevilla. Hablé con mi padre y me dejó el dinero. Luego la fui arreglando poco a poco. Ahora soy la envidia de toda mi familia.

b) Verónica

Yo, de pequeña, vivía en las afueras y siempre tenía problemas de transporte: para el colegio, luego para la universidad, para volver por las noches... Nadie quería venir a mi casa... Siempre pensaba: «Cuando sea mayor, viviré en el mismo centro de Barcelona». Así que cuando me casé, compramos una casa en el centro. Era pequeñísima, estaba en una calle oscura y había problemas de aparcamiento... Luego tuvimos otro piso más grande y luminoso, pero el ruido era insoportable. Un día fuimos a visitar a unos amigos en el pueblo de Sant Cugat del Vallés. Al lado de su chalé había otro en venta y a los dos nos encantó. Preguntamos el precio... y aquí vivimos felices desde hace diez años.

c) Roberto

A mí me encanta mi casa. Es pequeñita, pero está muy bien situada. Tiene dos dormitorios, uno para nosotros, con un cuarto de baño incorporado, y otro para los niños, otro cuarto de baño, un salón bastante grande y una sala que es donde solemos estar normalmente. Nuestro plan es, cuando los niños crezcan, convertir esta sala en otro dormitorio, para que puedan tener un poco de independencia. Pero por ahora pueden perfectamente compartir una habitación. Una de las cosas mejores que tiene es que, aunque está muy céntrica, la calle es muy tranquila y por la noche no se oye ni un ruido. Pero a veces resulta difícil encontrar dónde dejar el coche, sobre todo, si volvemos tarde.

TAREA 4

A continuación va a leer un texto del que se han extraído seis fragmentos. Después, lea los ocho fragmentos, a)-h), y decida en qué lugar del texto, 19-24, va cada uno. Hay dos fragmentos que no tiene que elegir.

LO QUE HAY QUE SABER AL ALQUILAR UN APARTAMENTO TURÍSTICO

En ocasiones, el consumidor desconoce cuáles son sus derechos y obligaciones al alquilar un apartamento para fines vacacionales.

Los apartamentos turísticos son una de las formas más habituales de pasar las vacaciones o, simplemente, un fin de semana. **19.** _____.

El usuario de este tipo de apartamentos turísticos, como en cualquier otro servicio, tiene una serie de derechos y obligaciones. **20.** _____. Igualmente deberá guardar la publicidad si contrata el apartamento mediante una agencia de viajes.

Los apartamentos deben cumplir unas normas mínimas en función de su categoría. El alquiler también comprende el uso y disfrute de los servicios anejos al alojamiento, por ejemplo, la piscina o el aparcamiento, que deberán ser facilitados por la empresa desde el momento en que se inicie la estancia. **21.** _____.

Con respecto al precio del alojamiento, la empresa tiene la obligación de darle la mayor publicidad posible y colocar en la recepción los precios máximos mensuales. En el precio final siempre estarán comprendidos los suministros de agua, electricidad, combustible y servicios comunes. **22.** _____.

Normalmente, el alojamiento se inicia a partir de las cinco de la tarde del día del periodo contratado y finaliza a las doce del mediodía del día siguiente a aquel en que concluye dicho periodo. En caso de no desalojar el apartamento, el usuario podrá ser gravado con una indemnización que debe estar prevista en el contrato.

Al contratar el alquiler del apartamento, bien la agencia o el propietario, pueden pedir al cliente un anticipo en concepto de reserva o señal. **23.** _____.

Si una vez firmado el alquiler el consumidor anula la reserva, la empresa deberá devolverle el anticipo, pero no en su totalidad, ya que el propietario tiene derecho a una indemnización en función del plazo con el que se efectúe la anulación. **24.** _____.

Otro coste que la agencia puede exigir al usuario es la fianza por posibles deterioros. Por ello, se recomienda hacer un inventario de los muebles y utensilios que haya en el apartamento antes de alojarse en él.

Adaptado de www.consumer.es

Preparación Diploma de Español (Nivel B1)

FRAGMENTOS

a)

Además de estos servicios comunes, el propietario puede ofrecer a sus clientes otros servicios complementarios, como pueden ser lavandería, restaurante, etc.

b)

La cantidad que deberá entregar el usuario por dicho concepto será un porcentaje sobre el precio que dependerá del periodo total de la estancia.

c)

Por tanto, normalmente el cliente debe llevar sus propias sábanas y toallas.

d)

Muchas personas deciden alojarse en estos apartamentos por sus considerables ventajas: la intimidad, posibilidad de alojamiento para toda la familia y precio económico.

e)

Así, el cliente recuperará el 50 % si la comunica con una antelación de entre siete y treinta días y el 95 % si lo realiza con más de treinta días.

f)

Este precio debe ser abonado por el cliente en el momento de la ocupación, salvo pacto contrario.

g)

Por ello, debe firmar un contrato por escrito con los requisitos mínimos que hay que cumplir por ambas partes, siendo imprescindible conservar una copia.

h)

Por eso es necesario comparar precios en distintos portales de Internet que se dedican al alquiler de apartamentos, casas rurales, etc.

TAREA 5

A continuación va a leer un mensaje de correo electrónico. Elija la opción correcta, a), b) o c), para completar los huecos, 25-30.

○ ○ ○   ✉ Sin título

Enviar ahora   Enviar más tarde   🗑   📎   ✒ ▾   ▾   Insertar ▾   ☰ Categorías ▾

Para:
Asunto:

Fuente ▾ Tamaño ▾ N K S T

Querido Alberto:

No te he escrito antes porque andamos muy ocupados buscando casa. ¿Qué tal todo? ¿Está mejor tu madre?

En cuanto a nosotros, hemos decidido que tenemos que comprar una casa ya mismo. Estamos cansados ____25____ vivir de alquiler: problemas con los dueños, casas en malas condiciones, ya sabes. Estamos buscando en Internet, es lo más cómodo. Al principio ____26____ a una agencia que nos recomendó mi hermano, pero no tenían nada interesante.

¡____27____ difícil elegir! No te puedes imaginar la cantidad de casas que hemos visitado y a todas les encontramos algún problema. La semana pasada, vimos una que ____28____ perfecta y estuvimos a punto de decidirnos. Pero al final pensamos que estaba demasiado lejos.

Queremos algo que ____29____ céntrico o, al menos, bien comunicado, con tres habitaciones; si es posible, con dos baños o, al menos un baño y un aseo. José ____30____ prefiere de nueva construcción, pero a mí no me importa algo de segunda mano, si está en buenas condiciones.

Bueno, espero tener buenas noticias que contarte pronto.

Un beso,
Marina

PREGUNTAS

25. a) de   b) por   c) con
26. a) estuvimos   b) fuimos   c) buscamos
27. a) Cómo   b) Cuánto   c) Qué
28. a) pareció   b) parecía   c) había parecido
29. a) esté   b) está   c) estaba
30. a) se   b) le   c) lo

Anote el tiempo que ha tardado:

Recuerde que solo dispone de **70 minutos**

Preparación Diploma de Español (Nivel B1)

PRUEBA 2  Comprensión auditiva

40 **min** Tiempo disponible para las 5 tareas.

TAREA 1

CD I
Pista 6

A continuación va a escuchar seis mensajes del buzón de voz de un teléfono. Oirá cada mensaje dos veces. Después, seleccione la opción correcta, a), b) o c), para cada pregunta, 1-6. Dispone de 30 segundos para leer las preguntas.

PREGUNTAS

Mensaje 1

1. ¿Qué problema tiene la casa que se alquila?
- **a)** Es bastante ruidosa.
- **b)** Hay que subir muchas escaleras.
- **c)** Es demasiado cara.

Mensaje 2

2. ¿Por qué llaman de la tienda?
- **a)** Porque hay problemas con el color de los muebles.
- **b)** Para cambiar el día de entrega del pedido.
- **c)** Para ofrecerles un modelo más barato.

Mensaje 3

3. ¿Qué tiene que hacer Luis?
- **a)** Comprar una alfombra nueva.
- **b)** Limpiar la alfombra.
- **c)** Llevar la alfombra a limpiar.

Mensaje 4

4. ¿Qué le recomiendan a la señora Martínez?
- **a)** Arreglar la nevera vieja.
- **b)** Comprar una nevera nueva.
- **c)** Traer una nevera de Barcelona.

Mensaje 5

5. ¿Quién llama a Ana?
- **a)** Una amiga.
- **b)** Una empleada del ayuntamiento.
- **c)** Su madre.

Mensaje 6

6. ¿Para qué llama Ángel a Rodrigo?
- **a)** Para invitarle a una fiesta próximamente.
- **b)** Para contarle una fiesta que hizo el mes pasado.
- **c)** Para informarle de que ha comprado una casa.

TAREA 2

CD I

Pista 7

A continuación va a escuchar un fragmento del programa Cuéntanos tu experiencia *en el que Lucas relata cómo compró su primera casa. Lo oirá dos veces. Después seleccione la opción correcta, a), b) o c), para cada pregunta, 7-12.*
Dispone de 30 segundos para leer las preguntas.

PREGUNTAS

7. Lucas cuenta en la audición que él y su novia:
   a) Decidieron comprar una casa cuando se casaron.
   b) No se ponían de acuerdo en comprar o alquilar.
   c) Llevaban dos años saliendo cuando decidieron comprar.

8. Según el audio, los problemas de Lucas se debían a que:
   a) Mucha de la publicidad que veían era falsa.
   b) No preguntaban antes de ir a ver pisos.
   c) Era difícil encontrar pisos con dos dormitorios.

9. Según la grabación, Lucas y su novia:
   a) Vivían en el mismo barrio donde encontraron la casa.
   b) Venían de barrios diferentes.
   c) Querían encontrar algo en la zona norte.

10. Lucas afirma que los papeles del banco tardaron:
    a) Cuatro años.
    b) Más de lo habitual.
    c) Un tiempo normal.

11. Según Lucas, algunos de los papeles que pedía el banco:
    a) No los llevó a tiempo.
    b) Eran difíciles de conseguir.
    c) Tenía que hacerlos el propietario.

12. El día de la firma la empleada del banco dijo que:
    a) Era la casa más bonita que había visto.
    b) Estaba muy emocionada.
    c) Lucas parecía muy feliz.

Preparación Diploma de Español (Nivel B1)

TAREA 3

A continuación va a escuchar seis noticias de un programa radiofónico español. Lo oirá dos veces. Después, seleccione la respuesta correcta, a), b) o c), para las preguntas, 13-18. Dispone de 30 segundos para leer las preguntas.

PREGUNTAS

Noticia 1

13. La nueva aplicación:

   a) Sirve para hablar por teléfono con los hijos.
   b) Todavía no está a la venta.
   c) Se puede adquirir en este Congreso.

Noticia 2

14. La compraventa de viviendas:

   a) Ha aumentado respecto al año pasado.
   b) Ha bajado en agosto.
   c) No ha variado en diecisiete meses.

Noticia 3

15. Actualmente, los compradores de viviendas en España:

   a) Compran casas más grandes.
   b) Buscan viviendas de uno o dos dormitorios.
   c) Quieren cambiar de casa.

Noticia 4

16. El Gremio de Promotores:

   a) Quiere buscar clientes extranjeros para vender casas en la costa.
   b) Afirma que en la Costa Brava los precios han subido.
   c) Dice que franceses y rusos eligen los mismos sitios para comprar.

Noticia 5

17. El estudio Jóvenes y Emancipación afirma que:

   a) Hay más mujeres que viven independientes que hombres.
   b) Los españoles son los europeos que antes dejan la casa familiar.
   c) No tienen problemas a la hora de encontrar trabajo.

Noticia 6

18. Los españoles:

   a) Han dejado de veranear debido a la situación económica.
   b) Buscan alternativas más baratas de vacaciones.
   c) No quieren pasar sus vacaciones en Tenerife.

CD I

Pista 9

TAREA 4

A continuación va a escuchar a seis personas contando cómo han decorado sus casas. Oirá a cada persona dos veces. Después, seleccione el enunciado, a)-j), que corresponde al tema del que habla cada persona, 19-24. Hay diez enunciados (incluido el ejemplo), pero debe seleccionar solamente seis.
Dispone de 20 segundos para leer los enunciados.

ENUNCIADOS

a) Ya no le gustan los muebles que tiene.
b) Se ha gastado mucho dinero en decorar su casa.
c) Tiene pocos muebles.
d) Los muebles que tiene no fueron su elección.
e) Ha combinado estilos diferentes.
f) Tiene prisa en amueblar su casa.
g) *Vive en un piso que fue de su familia.*
h) Su casa está decorada en un estilo muy moderno.
i) Dejó la decoración en manos de otra persona.
j) Quiere cambiar de casa.

	PERSONA	ENUNCIADO
	Persona 0	g)
19.	Persona 1	
20.	Persona 2	
21.	Persona 3	
22.	Persona 4	
23.	Persona 5	
24.	Persona 6	

CD I

Pista 10

TAREA 5

A continuación va a escuchar una conversación entre un matrimonio, Eduardo y Emilia. La oirá dos veces. Después, decida si los enunciados, 25-30, se refieren a Eduardo, a), Emilia, b), o a ninguno de los dos, c).
Dispone de 25 segundos para leer los enunciados.

		a) Eduardo	b) Emilia	c) Ninguno de los dos
0.	Quiere un armario de un color específico.		✔	
25.	Piensa que en el pasado se hacían las cosas mejor.			
26.	Dice que no cabe la ropa en el armario actual.			
27.	Cree que tienen que economizar.			
28.	Piensa que comprar una nueva nevera no es importante.			
29.	Va a tener mucho trabajo próximamente.			
30.	Le parece una buena idea un armario con espejo.			

Anote el tiempo que ha tardado:

Recuerde que solo dispone de **40 minutos**

Preparación Diploma de Español (Nivel B1)

PRUEBA 3

Expresión e interacción escritas

60 min
Tiempo disponible para las 3 tareas.

TAREA 1

Usted necesita cambiar de casa y un amigo suyo que trabaja en una inmobiliaria le ha enviado el siguiente correo electrónico.

● ● ● ✉ Sin título
✉ Enviar ahora ✉ Enviar más tarde 🗐 🔗 ▾ 🗑 📎 ✒ ▾ 🖳 ▾ ❖ 🖩 Insertar ▾ ☰ Categorías ▾
Hola. Me he enterado por Violeta que estás buscando una casa. Ya sabes que puedes contar conmigo, ¿quién mejor que yo para ayudarte? Tengo un banco de datos con cientos de casas de todo tipo. Solamente tienes que explicarme con detalle qué es lo que estás buscando y hasta cuánto piensas gastar. Yo, por mi parte, te enviaré todas las opciones que se ajusten a lo que quieres. Bueno, espero tus noticias. Un saludo, Pedro

Escriba un correo electrónico a Pedro (entre 100-120 palabras) en el que deberá:
- Saludar.
- Explicar cómo es su casa actual y explicar qué problemas tiene.
- Explicar por qué ha decidido cambiar de casa.
- Describir la casa que necesita.
- Explicar cuánto puede gastarse.
- Dar las gracias y despedirse.

TAREA 2

Lea el siguiente comentario de una revista del corazón.

Como os conté el otro día, ayer estuve en una fiesta de la *jet set* y tengo que deciros que lo que más me impresionó fue... la casa. ¡Qué maravilla! ¡Cómo me gustaría vivir en un lugar así! Ahora mismo no tengo tiempo de describirla con detalle, pero me gustaría que vosotros me contarais si alguna vez habéis estado en alguna casa que os ha impresionado.

Escriba su experiencia (entre 130-150 palabras) en esta revista contando:
- Por qué fue a aquella casa.
- De quién era.
- Dónde estaba.
- Cuántas habitaciones y qué distribución tenía.
- Cómo estaba decorada.
- Por qué le gustó tanto.

Anote el tiempo que ha tardado:

Recuerde que solo dispone de **60 minutos**

Apuntes de gramática

- Para describir, se usa el verbo *ser*: *La habitación es/era luminosa*.
  - Para describir una persona, un objeto o un lugar en presente, se usa el presente de indicativo: *La casa es grande*.
  - Para describir una persona, un objeto o un lugar en pasado, se usa el pretérito imperfecto: *La casa era grande*.
- Para hablar de ubicaciones, se usa el verbo *estar*: *El edificio está/estaba en las afueras*.
- Para hablar de lo que contiene la casa, puedes usar *hay/tiene*: *En la casa hay/había tres habitaciones. La casa tiene/tenía dos cuartos de baño*.
- Para valorar una casa positivamente, puedes usar: *grande, luminosa, bien comunicada, con zonas verdes*, etc.
- Para explicar cómo es algo, usamos el indicativo: *Tengo una casa que está bien comunicada*.
- Para explicar cómo es algo que buscamos o necesitamos, usamos el subjuntivo: *Busco un piso que tenga terraza*.

Describir muebles
Cama:
  - *doble/individual/grande/pequeña/litera*, etc.

Mesa:
  - *de comedor/de café/de televisión*, etc.
  - *de madera/de cristal*, etc.
  - *moderna/de estilo/antigua/funcional*, etc.
  - *cuadrada/ovalada/redonda/rectangular*, etc.
  - *para … personas*.

Sillas:
  - *modernas/clásicas/funcionales*, etc.
  - *de madera*.
  - *muy cómodas*.
  - *de color...*

Sofá:
  - *grande/pequeño/cómodo*, etc.
  - *para … personas*.

Contactar con alguien
Si le interesa/está interesado en alguno de nuestros muebles,...
  - *puede llamarnos al teléfono... (tardes-noches)*.
  - *puede enviarnos un correo a la siguiente dirección...*
  - *puede contactar con nosotros en el … (fijo) o en el … (móvil)*
  - *llame al … (móvil)*

Algunos conectores importantes para ordenar y relacionar las ideas
Comenzar el monólogo:
  - *En primer lugar…*
  - *Para empezar…*

Añadir ideas:
  - *Además…*
  - *También…*
  - *Por otro lado…*

Explicar cómo es una casa
Tengo una casa/un piso/apartamento/chalé/ático, etc.
  - *bien comunicado/en el centro de.../cerca de/lejos de...*, etc.
  - *exterior/interior/luminoso/amplio/grande/pequeño/moderno/funcional/antiguo*, etc.
  - *tiene... habitaciones/cuartos de baño con.../una cocina totalmente equipada/jardín/terraza/balcón/bonitas vistas/una entrada...*
  - *está en un edificio antiguo/moderno/clásico*, etc.; *en una zona tranquila/céntrica/con ambiente/ruidosa...*

PRUEBA 4  # Expresión e interacción orales

15 min · Tiempo disponible para preparar las tareas 1 y 2.

15 min · Tiempo disponible para realizar las 4 tareas.

TAREA 1

EXPOSICIÓN DE UN TEMA

Tiene que hablar durante 2 o 3 minutos sobre este tema.

Hable de **la casa de sus sueños.**

Incluya la siguiente información:
- Dónde estaría esa casa.
- Cómo sería.
- Si conoce alguna casa que se parezca a su casa ideal.
- Si tiene esperanza de conseguir alguna vez una casa así.

No olvide:
- Diferenciar las partes de su exposición: introducción, desarrollo y conclusión.
- Ordenar y relacionar bien las ideas.
- Justificar sus opiniones y sentimientos.

TAREA 2

CONVERSACIÓN CON EL ENTREVISTADOR

Después de terminar la exposición de la Tarea 1, deberá mantener una conversación con el entrevistador sobre el mismo tema.

Ejemplos de preguntas
- ¿Es usted una persona casera o prefiere salir?
- ¿Le gusta recibir amigos en su casa?
- ¿La mayoría de la gente de su país tiene las mismas preferencias que usted respecto a la vivienda?
- ¿Está usted satisfecho con la casa que tiene actualmente?

TAREA 3

DESCRIPCIÓN DE UNA FOTO

Observe detenidamente esta foto.

Describa detalladamente (1 o 2 minutos) lo que ve y lo que imagina que está pasando. Puede comentar, entre otros, estos aspectos:
- Quiénes son y qué relación tienen.
- Qué están haciendo.
- Dónde están.
- Qué hay.
- De qué están hablando.

A continuación, el entrevistador le hará unas preguntas (2 o 3 minutos).

Ejemplos de preguntas
- ¿Se ha mudado de casa alguna vez en su vida? ¿Qué tal la experiencia?
- ¿Le ayudaron sus amigos?
- ¿Ha contratado alguna vez los servicios de una empresa de mudanza o conoce a alguien que lo haya hecho?
- ¿Tuvo algún tipo de problema o malentendido con esa empresa?

TAREA 4

SITUACIÓN SIMULADA

Usted va a conversar con el entrevistador en una situación simulada (2 o 3 minutos).

Usted acaba de hacer una mudanza. Después de irse los trabajadores de la empresa, se ha dado cuenta de que algunas cosas estaban rotas.
Imagine que el entrevistador es el empleado de la compañía de mudanzas, hable con él de los siguientes temas:
- Dígale cuándo realizaron la mudanza.
- Explíquele qué objetos están rotos.
- Explíquele por qué no se dio cuenta al principio.
- Pídale que le paguen los objetos rotos.

Ejemplos de preguntas
- Buenos días. ¿En qué puedo ayudarle?
- ¿Cuándo le llevaron los muebles?
- ¿Y cómo no se dio cuenta de que había cosas rotas? Tenía usted que reclamar en ese momento.

MUNDO LABORAL Y ESTUDIOS

Te recomendamos
este útil y práctico
material para ampliar
el vocabulario
de español.

VOCABULARIO

FICHA DE AYUDA
Para la expresión e interacción
escritas y orales

PROFESIONES Y OFICIOS

Albañil (el) ....
Autónomo/a (el, la) ....
Ayudante (el, la) ....
Carpintero/a (el, la) ....
Ejecutivo/a (el, la) ....
Electricista (el, la) ....
Empleado/a (el, la) ....
Empresario/a (el, la) ....
Fontanero/a (el, la) ....
Funcionario/a (el, la) ....
Ingeniero/a (el, la) ....
Intelectual (el, la) ....
Jubilado/a (el, la) ....
Juez/-a (el, la) ....
Maestro/a (el, la) ....
Obrero/a (el, la) ....
Parado/a (el, la) ....
Peluquero/a (el, la) ....
Periodista (el, la) ....
Profesional liberal (el, la) ....
Sustituto/a (el, la) ....
Traductor/-a (el, la) ....

ANUNCIOS DE TRABAJO

Candidato (el) ....
Currículum vítae (el) ....
Incorporación inmediata (la) ....
Indispensable = Imprescindible ....
Requisitos ....
Se busca = Buscamos ....
Se ofrece ....
Se valorará

ESTUDIOS

Asignatura (la) ....
- optativa ....
- obligatoria ....
- pendiente ....
Beca (la) ....
Clase (la) ....
- teórica ....
- práctica ....
Doctorado (el) ....
Licenciatura (la) ....
Máster (el) ....
Selectividad (la) ....
Tutoría (la) ....
Verbos
Aprobar ....
Matricularse ....
Suspender ....

MUNDO LABORAL

Ascenso (el) ....
Aumento (el) ....
Carrera de estudios/profesional (la) ....
Contrato (el) ....
Demanda (la) ....
Disponibilidad (la) ....
Entrevista de trabajo (la) ....
Horario flexible (el) ....
Jefe de personal (el) ....
Jornada (la) ....
- partida ....
- continua ....
Oferta (la) ....
Sindicato (el) ....
Sueldo, salario (el) ....
Verbos
Contratar ....
Despedir ....
Firmar ....
Ganar ....
Quedarse/Estar en el paro ....

LUGARES DE TRABAJO/ESTUDIO

Academia (la) ....
Aula (el) ....
Bufete (el) ....
Centro de estudios (el) ....
Clínica (la) ....
Departamento (el) ....
- Contabilidad ....
- Ventas y *Marketing* ....
- Financiero ....
- Recursos Humanos ....
Despacho (el) ....
Empresa (la) ....
Fábrica (la) ....
Facultad (la) ....
Laboratorio (el) ....
Oficina (la) ....
Taller (el) ....

PRUEBA 1

Comprensión de lectura

70 min

Tiempo disponible para las 5 tareas.

TAREA 1

A continuación va a leer seis textos sobre unas personas que necesitan trabajo y diez anuncios de ofertas de empleo. Relacione a las personas, 1-6, con los textos que informan sobre los empleos, a)-j). Hay tres textos que no debe relacionar.

PREGUNTAS

	PERSONA	TEXTO
0.	MARCOS	j)
1.	OLGA	
2.	ENRIQUE	
3.	MERCHE	
4.	ALFREDO	
5.	CRISTINA	
6.	ANTONIO	

0. MARCOS	En mi empresa anterior era jefe de contabilidad, pero creo que mi punto fuerte es mi buen nivel de inglés. Hice la carrera en Escocia.
1. OLGA	Tengo tres niños y solo podría trabajar por las mañanas. Estudié Secretariado y tengo varios cursos de inglés. Hace unos años fui telefonista en una pequeña empresa, pero lo dejé cuando nació mi primer hijo.
2. ENRIQUE	Yo estudié Ciencias Empresariales hace diez años. Tuve mucha suerte porque inmediatamente después de terminar encontré un trabajo bastante bueno. Pero ahora van a cerrar la empresa por problemas económicos.
3. MERCHE	Yo acabo de terminar Hostelería y Restauración. Tengo un nivel básico de inglés, pero estoy ahora haciendo un curso intensivo. Tengo un carácter muy abierto y don de gentes.
4. ALFREDO	Yo estoy estudiando Empresariales y me gustaría hacer algo para tener alguna experiencia laboral. Que no me quite demasiado tiempo, porque tengo que estudiar, claro.
5. CRISTINA	Acabo de volver de París donde trabajé muchos años en una empresa como asistente personal del director. Busco trabajo, pero dentro de la misma categoría. Mi nivel de inglés es fluido.
6. ANTONIO	Acabo de obtener mi título de ingeniero informático. Necesito un trabajo que se adapte a mí y no al contrario, porque quiero tener tiempo para hacer mi doctorado.

OFERTA DE EMPLEO

a) **AGENTE COMERCIAL.** Debido a un fuerte proceso de expansión seleccionamos para Pontevedra agentes plan de carrera con el objetivo de abrir oficinas de la compañía una vez finalizado dicho plan. Los candidatos deben poseer un claro perfil comercial y alta ambición profesional. Ofrecemos formación a cargo de la empresa, estabilidad laboral y un interesante paquete retributivo compuesto de subvención fija y comisiones.

b) **PROGRAMADOR JÚNIOR.** Buscamos ingeniero/a técnico o superior en Informática o Telecomunicaciones para participar en importante proyecto en colaboración con empresa tecnológica líder en su sector. Necesitamos una persona dinámica y resolutiva. No necesaria experiencia. Jornada flexible.

c) **FORMADOR DE FORMADORES.** Empresa líder en el sector RR.HH. busca formadores con experiencia para impartir formaciones de inglés, francés o alemán a diferentes colectivos de participantes. Requisitos: experiencia de al menos un año como formador en alguno de los tres idiomas: inglés, francés o alemán.

d) **JEFE DE FINANZAS.** Se encargará de supervisar el dpto. de Finanzas así como realizar los informes y balances. Requisitos: licenciado en Dirección y Administración de Empresas o similar. Experiencia mínima: 5 años. Manejo de programas informáticos a nivel usuario. Jornada completa, contrato indefinido.

e) **SECRETARIA DE DIRECCIÓN.** Requerimos: formación mínima de Secretariado Internacional o técnico superior en Secretariado. Experiencia mínima de 3 años como secretaria de dirección. Imprescindible francés e inglés. Dominio de Microsoft Office. Condiciones económicas en función de la experiencia.

f) **AUXILIAR ADMINISTRATIVO.** Se precisa auxiliar administrativo para labores de recepción de llamadas de clientes, grabación de datos y demás tareas administrativas. Formación mínima: técnico en Gestión Administrativa o equivalente. Se requiere algo de experiencia en puesto similar, manejo de paquete Office e inglés básico. Media jornada.

g) **ESTUDIANTE EN PRÁCTICAS.** Se busca estudiante preferiblemente de 2.º o 3.er curso de Empresariales que desee realizar prácticas de contabilidad en nuestra empresa. Se le enseñará la metodología del trabajo desde cero. Con gran posibilidad de hacerle contrato de trabajo posteriormente.

h) **RECEPCIONISTA.** Buscamos un recepcionista, diplomada/o en Turismo o titulación similar, con conocimientos de inglés y habilidades sociales. No es necesaria experiencia. Buena presencia. Sus funciones consistirán en atender a las visitas y clientes de la oficina, ocuparse de la centralita y coordinar las reservas de las salas de reuniones y de los servicios requeridos para ellas.

i) **DOCUMENTALISTA.** Compañía líder en el sector de la tecnología necesita un documentalista. Requisitos: diplomado en Biblioteconomía y Documentación con conocimiento de sistemas de información de archivos. Experiencia demostrable de al menos 6 meses. Dominio a nivel usuario de procesadores de texto. Inglés escrito. Contrato: indefinido. Jornada completa.

j) **CONTABLE.** Importante empresa necesita incorporar para sus oficinas de Marbella un contable administrativo/a. Funciones: introducción de datos en contabilidad. Conciliaciones contables. Chequeo de facturas tanto de proveedores como de clientes. Control de cobros y pagos diarios de la empresa. Control de vencimientos y pago a proveedores. Imprescindible inglés alto.

TAREA 2

A continuación hay un texto sobre las cualidades necesarias para conseguir un buen empleo en México. Después de leerlo, elija la respuesta correcta, a), b) o c), para las preguntas, 7-12.

CONSEGUIR UN BUEN EMPLEO

Un estudio reciente reveló que los reclutadores buscan algo más que un buen currículo en las entrevistas laborales.

Confianza, liderazgo y diversos intereses extraprofesionales son algunas de las características y cualidades que ayudan a un candidato a obtener un buen puesto de trabajo. Aunque las calificaciones académicas y el desempeño laboral siguen siendo primordiales, las tendencias evidencian que las cualidades personales de los aspirantes cada vez toman mayor fuerza en la selección de personal.

El estudio reveló también que solo una quinta parte de los empresarios considera que el grado académico hace destacar a un postulante sobre su competencia. Señala además que la influencia de las calificaciones ha disminuido durante la última década en el reclutamiento de personal.

La empresa de distribución Aldi interrogó a dos mil empresas y sus conclusiones indican que cerca del 56 % de los encuestados espera que sus colaboradores, y futuros empleados, cuenten con diversos intereses fuera del trabajo. Esto se traduce en la buena conciliación de la vida y horarios laborales con la vida personal. Además, la buena presencia es del gusto de cerca de un 33 % de los consultados.

Los reclutadores ven con buenos ojos que los candidatos tengan afición por los viajes y que conozcan varias partes del mundo. Por otra parte, más del 50 % buscan personas en que se vean reflejados y que les recuerden a sí mismos, lo que también influye en la intención de asumir el papel de mentor del nuevo empleado.

La confianza se posicionó como el principal atributo en que se fijan los posibles empleadores, desplazando la actitud positiva y la experiencia a la segunda y tercera posición, respectivamente. Energía, ética de trabajo y honestidad son otras de las cualidades que se buscan en las entrevistas de trabajo.

Más de una cuarta parte de los reclutadores señaló que juzga al posible personal por educación en el trato personal, seguridad y limpieza en su apariencia. Una proporción similar espera altos niveles de respeto durante los procesos de selección y entrevistas.

Detalles más curiosos también afloran en el estudio: la forma y la fuerza en que se ejecuta un apretón de manos es juzgado por cerca del 12 % de los entrevistadores y, a su vez, el 30 % de ellos exige buena ortografía y puntuación. Los hombres son más propensos a contratar a postulantes bien parecidos, mientras que las mujeres se fijan más en una buena expresión.

El instinto de los reclutadores no deja de ser importante. Más del 50 % basa su decisión y contrata en base a sus intuiciones sobre otros factores y dos tercios señalaron que jamás se han arrepentido de sus decisiones de contratación.

Adaptado de http://www.altonivel.com.mx

PREGUNTAS

7. El texto dice que, actualmente, al contratar a un empleado:
   a) El expediente académico no tiene importancia.
   b) Se tiene muy en cuenta su personalidad.
   c) No interesa su profesión.

8. Según el texto, el interés de los empleadores por las calificaciones del candidato:
   a) Ha bajado en los últimos diez años.
   b) Nunca ha sido demasiado alto.
   c) Es mayor en la actualidad.

9. Según el estudio de la firma Aldi, las empresas:
   a) Esperan que el trabajador lleve trabajo a casa.
   b) No tienen en cuenta el aspecto físico de los candidatos.
   c) Aprecian que el candidato tenga aficiones extralaborales.

10. En el texto se dice que los reclutadores buscan gente:
    a) Dispuesta a trabajar en el extranjero.
    b) Que se parezca a ellos.
    c) Que sea autosuficiente.

11. Según el texto, gran parte de los reclutadores:
    a) No se fijan en aspectos externos de los candidatos.
    b) Actúan honestamente en la entrevista.
    c) Esperan un comportamiento educado por parte del candidato.

12. El texto afirma que los reclutadores masculinos:
    a) Ponen atención en puntos diferentes que los femeninos.
    b) Se expresan de forma diferente que los femeninos.
    c) Son más fuertes que los femeninos.

TAREA 3

A continuación va a leer tres textos en los que tres personas hablan sobre los recuerdos de su primer día de trabajo. Después, relacione las preguntas, 13-18, con los textos, a), b) o c).

PREGUNTAS

	a) Clara	b) Eduardo	c) María
13. ¿Quién no había terminado todavía sus estudios?			
14. ¿Quién no trabaja ya?			
15. ¿Qué persona ha trabajado en más de dos sitios diferentes?			
16. ¿Quién dice que sigue trabajando en la misma empresa?			
17. ¿Quién trabajó en una empresa familiar?			
18. ¿A qué persona no le pagaban al principio?			

a) Clara

Empecé a trabajar muy jovencita, durante mi tercer año de la carrera. Soy la mayor de cinco hermanos. Mis padres no estaban bien económicamente y quería ayudarles, así que decidí ponerme a trabajar y, aunque ellos no querían, yo insistí. El único trabajo que encontré con un horario conveniente fue en un restaurante de comida rápida. Al principio trabajaba solo los fines de semana y, luego, también algunas tardes. No era un trabajo fantástico, pero me vino bien la experiencia: aprendí disciplina, a trabajar con el público y, lo más importante, a organizar mi tiempo, cosas que me han venido bien en todos mis trabajos posteriores. Estuve poco más de un año y lo dejé en cuanto encontré algo mejor.

b) Eduardo

Llevo trabajando en esta empresa desde que me licencié en Psicología. Entré en prácticas nada más acabar la carrera. Me acuerdo que vi un anuncio en el tablón de la facultad el mismo día que fui a ver las notas de mi último examen. Me presenté y me cogieron.
Al principio, tenía que hacer cosas muy sencillas, lo que me mandaban. Se ve que lo hice bien, porque al poco tiempo empezaron a darme más responsabilidad y me pusieron un sueldo. No era mucho, pero yo estaba encantado.
La verdad es que me lo pusieron muy fácil, porque los compañeros eran estupendos y me ayudaron muchísimo. Poco a poco fui escalando puestos y ahora soy director del Departamento de Recursos Humanos.

c) María

Empecé a trabajar de peluquera desde los diecinueve años hasta la jubilación. La peluquería era de mi tía y fue ella la que me lo enseñó todo. Bueno, yo había hecho algún curso de peluquería y estética, pero los trucos del oficio me los enseñó ella. La verdad es que nos lo pasábamos muy bien. Las clientas eran ya amigas. Algunas venían a cortarse el pelo y se quedaban con nosotras charlando toda la tarde. El ambiente era tan relajado que yo no lo sentía como un trabajo. Luego, cuando mi tía decidió dejar de trabajar, me quedé yo con el negocio y tuve que contratar a otra chica para ayudarme.

TAREA 4

A continuación va a leer un texto del que se han extraído seis fragmentos. Después, lea los ocho fragmentos, a)-h), y decida en qué lugar del texto, 19-24, va cada uno. Hay dos fragmentos que no tiene que elegir.

ELEGIR CARRERA:
UNA PREOCUPACIÓN DE LOS JÓVENES

Esteban se metió a estudiar Ingeniería Industrial en una universidad privada de Cali porque a ella entraron varios de sus mejores amigos del colegio. María Fernanda, en cambio, se matriculó en la misma carrera con la convicción de que «como ingeniera industrial se consigue trabajo más fácil y en cualquier cosa». **19.** _____. Se matriculan porque a esa universidad entraron los amigos. O a causa de que los papás les dijeron qué estudiar y no les pagan estudios sino en determinada carrera. **20.** _____.

Incluso, ocurren situaciones de bloqueo en la relación de padres e hijos desde la adolescencia que no se han podido superar; el joven tiene una rabia enquistada contra los padres y, frente a todo lo que ellos le dicen que haga, él hace lo contrario **21.** _____. Tampoco falta el que se mete a estudiar finanzas o administración para seguir manejando los negocios de la familia.

Por eso, antes de escoger carrera, es necesario buscar una asesoría profesional de psicólogos y consejeros que puedan ayudarle a tomar la decisión más adecuada y conveniente. En este sentido, se deben tener en cuenta dos aspectos principales para orientar la vocación profesional de quienes van a escoger carrera: **22.** _____. En cuanto a los individuales, no basta con que el joven tenga interés en una carrera y que se identifique con ella, porque su decisión de estudio no solo tiene que ver con elegir una carrera, sino con lo que quiere hacer como proyecto de vida laboral. Se trata de que a partir de esos intereses y del conocimiento adecuado de sus habilidades, potencialidades y competencias el muchacho tome una decisión consecuente con eso. **23.** _____. Por ejemplo, quien quiere estudiar una ingeniería puede mirar su historial en Matemáticas en el colegio. **24.** _____. Ese es un criterio que ofrece datos para tener en cuenta.

Myriam Orozco, orientadora de la Universidad Autónoma, sostiene que, en efecto, «para tomar una decisión de carrera el joven debe conocerse muy bien, identificar sus habilidades, sus aptitudes, su personalidad, ver qué le entusiasma, qué es lo que más le motiva».

Adaptado de www.elpais.com

FRAGMENTOS

a)

uno son los aspectos individuales del estudiante y, otro, los elementos sociales y del entorno.

b)

Quien opta por Medicina debe revisar cómo le fue en materias biológicas y Química.

c)

y se matricula en otra carrera para llevarles la contraria.

d)

Con ellos se explora la personalidad e historia del muchacho y el *genograma de profesiones*: el historial familiar de carreras y ocupaciones.

e)

Ellos son parte del 70 % de los estudiantes que en el país entran a la universidad sin una adecuada orientación vocacional.

f)

En esta parte suelen ayudar los colegios y sus psicólogos, que dan algunas claves de conocimiento a los estudiantes.

g)

Otro factor social que debe mirarse cuando se está decidiendo por una carrera profesional es la parte financiera.

h)

O quizá porque la universidad «es muy bonita», «tiene prestigio» y con un título otorgado por ella «uno consigue trabajo».

TAREA 5

A continuación va a leer un mensaje de correo electrónico. Elija la opción correcta, a), b) o c), para completar los huecos, 25-30.

○○○   ✉ Sin título

Enviar ahora   Enviar más tarde   🖫 ✎ ▾ 🗑 📎 ✏ ▾ 🗐 ▾   Insertar ▾   ☰ Categorías ▾

Para:

Asunto:

Fuente ▾   Tamaño ▾   N K S T   ☰ ☰ ☰ ☰ ☷ ☷ A ▾

Hola, Manolo:

Ya sé que llevo mucho tiempo sin escribirte, pero de verdad que no he podido encontrar un momento. Tampoco tengo mucho que contarte. Sigo igual: trabajo, trabajo y más trabajo.

Y en cuanto a los amigos, lo más interesante es que Ricardo ya no trabaja de recepcionista, _____25_____ que ahora es asistente personal del director de su empresa. Te preguntarás cómo ha sido ese cambio tan impresionante. Pues resulta que un día llegaron unos clientes japoneses a la oficina y nadie podía entenderse con ellos. No sabían qué hacer y, de repente, Ricardo _____26_____ a hablar con ellos y salvó la situación. _____27_____ vivió en Japón de pequeño, habla japonés bastante bien aunque él siempre dice que se le ha olvidado mucho.

El jefe estaba encantado y _____28_____ agradecido que le ofreció el puesto de asistente personal, porque, además, tenía planes de expansión y de _____29_____ a trabajar en el mercado japonés y encontrar una persona con un buen nivel en este idioma no es tan fácil.

Ricardo está feliz y orgullosísimo, como comprenderás. Cuando _____30_____ escribas, no te olvides de felicitarlo.

Un abrazo y hasta pronto,
Juan

PREGUNTAS

---

25.   a) pero   b) pues   c) sino

26.   a) se puso   b) se ponía   c) se había puesto

27.   a) Como   b) Así que   c) Cuando

28.   a) tanto   b) tan   c) mucho

29.   a) que empiece   b) que empieza   c) empezar

30.   a) te   b) le   c) lo

Anote el tiempo que ha tardado:

Recuerde que solo dispone de **70 minutos**

PRUEBA 2  Comprensión auditiva

40 min Tiempo disponible para las 5 tareas.

CD I

TAREA 1

Pista 11

A continuación va a escuchar seis mensajes del buzón de voz de un teléfono. Oirá cada mensaje dos veces. Después, seleccione la opción correcta, a), b) o c), para cada pregunta, 1-6.
Dispone de 30 segundos para leer las preguntas.

PREGUNTAS

Mensaje 1

1. ¿Quién es Aurora?
   a) Una compañera de trabajo de Lorena.
   b) La secretaria de Lorena.
   c) La jefa de Lorena.

Mensaje 2

2. ¿Para qué llama Alonso?
   a) Para decirle a Ricardo que necesita trabajo.
   b) Para responder a una pregunta de Ricardo.
   c) Para ofrecer trabajo como chófer a Ricardo.

Mensaje 3

3. ¿Qué tiene que hacer Laura Gutiérrez?
   a) Esperar una llamada de la secretaria.
   b) Ir a ver al señor Márquez la semana próxima.
   c) Llamar para concertar una nueva cita.

Mensaje 4

4. ¿Qué necesita Jaime de Jorge?
   a) Información sobre un examen.
   b) Ayuda con un trabajo de Documentación.
   c) Que le dé un mensaje de su parte a un profesor.

Mensaje 5

5. ¿Qué quiere Susana de Margarita?
   a) Que la acompañe al médico.
   b) Que le haga la matrícula.
   c) Que le informe de unos horarios.

Mensaje 6

6. ¿Para qué llama Carlos a Mariano?
   a) Para decirle que el jefe está enfadado.
   b) Para cambiar la hora de una reunión.
   c) Para recordarle algo.

CD I

Pista 12

TAREA 2

A continuación va a escuchar un fragmento del programa Mi primer día *en el que Alfonso cuenta su primer día de trabajo. Lo oirá dos veces. Después, seleccione la opción correcta, a), b) o c), para cada pregunta, 7-12.*
Dispone de 30 segundos para leer las preguntas.

PREGUNTAS

7. En el audio Alfonso dice que el primer día de trabajo:
   a) No llegó puntual a la oficina.
   b) No sabía qué ropa ponerse.
   c) Se vistió demasiado formal.

8. Según el audio, Alfonso cuenta que Evelina:
   a) Le ayudó porque era su amiga.
   b) No le gustó el primer día.
   c) No quería ayudarle.

9. En la grabación Alfonso explica que:
   a) En la entrevista no había dicho la verdad.
   b) No pudo comprender el manual de procedimiento.
   c) Su nivel de inglés es perfecto.

10. En la audición, Alfonso cuenta que a las doce:
   a) Hubo una reunión de trabajo.
   b) Tuvieron una pausa para el café.
   c) Tuvo que hacer un informe.

11. Alfonso cuenta, en la audición, que el primer día:
   a) Causó una mala impresión.
   b) No se pudo concentrar.
   c) Su jefe fue muy exigente.

12. En la grabación, Alfonso dice que:
   a) Había buscado información en Internet sobre la empresa.
   b) Tiene un familiar que trabaja en la misma empresa que él.
   c) Es aconsejable informarse sobre la empresa donde vas a trabajar.

Comprensión auditiva

TAREA 3

A continuación va a escuchar seis noticias de un programa radiofónico español. Lo oirá dos veces.
Después, seleccione la respuesta correcta, a), b) o c), para las preguntas, 13-18.
Dispone de 30 segundos para leer las preguntas.

PREGUNTAS

Noticia 1
13. Tres escuelas de negocios españolas:

- **a)** Se encuentran entre las más baratas de Europa.
- **b)** Han sido elegidas entre las mejores de Europa.
- **c)** Han abierto este año en diversos lugares.

Noticia 2
14. La Universidad Complutense:

- **a)** Necesita profesores de Enfermería y Fisioterapia.
- **b)** Va a acondicionar las aulas para los estudiantes discapacitados.
- **c)** Ha solicitado ayuda voluntaria a alumnos de ciertas facultades.

Noticia 3
15. *The Economist:*

- **a)** Va a elegir al mejor profesor del año.
- **b)** Ha premiado a cuatro profesores.
- **c)** Ha recibido un premio este año.

Noticia 4
16. Los estudiantes de Europa:

- **a)** Deberían estudiar más carreras científicas, según los expertos.
- **b)** Siempre eligen sus carreras en función de su procedencia.
- **c)** Cada vez más optan por estudiar ciencias.

Noticia 5
17. Los ministros de Educación de Europa quieren:

- **a)** Mejorar la formación de los europeos.
- **b)** Hacer más formación destinada a obtener empleo.
- **c)** Crear un sistema de certificación único.

Noticia 6
18. Los becarios del programa Erasmus:

- **a)** Son en su mayoría españoles.
- **b)** Prefieren en su mayoría ir a España.
- **c)** No están interesados en aprender español.

CD I

Pista 14

TAREA 4

A continuación va a escuchar a seis personas contando cómo obtuvieron su primer trabajo. Oirá a cada persona dos veces. Después, seleccione el enunciado, a)-j), que corresponde al tema del que habla cada persona, 19-24. Hay diez enunciados (incluido el ejemplo), pero debe seleccionar solamente seis.
Dispone de 20 segundos para leer los enunciados.

ENUNCIADOS

a) No le duró mucho.
b) Empezó trabajando como vendedor.
c) Encontró su trabajo en Internet.
d) Empezó trabajando en el extranjero.
e) No le gustaba nada.
f) *Su trabajo no está relacionado con lo que estudió.*
g) Todavía no ha encontrado trabajo.
h) Tuvo que dejar sus estudios.
i) No aceptó su primera oferta de trabajo.
j) Trabaja desde su casa.

	PERSONA	ENUNCIADO
	Persona 0	f)
19.	Persona 1	
20.	Persona 2	
21.	Persona 3	
22.	Persona 4	
23.	Persona 5	
24.	Persona 6	

CD I

Pista 15

TAREA 5

A continuación va a escuchar una conversación entre dos compañeros de trabajo, Ernesto y Claudia. La oirá dos veces. Después, decida si los enunciados, 25-30, se refieren a Ernesto, a), Claudia, b), o a ninguno de los dos, c).
Dispone de 25 segundos para leer los enunciados.

	a) Ernesto	b) Claudia	c) Ninguno de los dos
0. Ha tenido mucho trabajo últimamente.		✓	
25. Tiene dos hijos.			
26. Tiene un hijo que no estudia mucho.			
27. Piensa que su hijo no es muy sociable.			
28. Tiene que ir al médico.			
29. Va a hacer una fiesta pronto.			
30. Invita al café.			

Anote el tiempo que ha tardado:

Recuerde que solo dispone de **40 minutos**

PRUEBA 3

Expresión e
interacción escritas

60 min

Tiempo disponible
para las 2 tareas.

TAREA 1

Usted ha recibido este mensaje de correo de una amiga.

○ ○ ○   ✉ Sin título

Enviar ahora   Enviar más tarde   🗄 ✎ ▾ 🗑 📎 ✒ ▾ ▤ ▾   Insertar ▾ ☰ Categorías ▾

Hola, ¿qué tal estás? Me ha contado Ángel que has encontrado un trabajo estupendo.
¡Muchas felicidades! Me alegro muchísimo por ti.
Como sabes, yo también estoy buscando trabajo y quería pedirte un favor: como tú has
tenido tanta suerte, te pido que me des algunos consejos para encontrar trabajo. Llevo
más de tres meses buscando sin éxito.
Escríbeme pronto.
Un abrazo, Sonia

Escriba un correo electrónico a Sonia (entre 100-120 palabras) en el que deberá:
- Saludar.
- Explicar cómo encontró su trabajo actual.
- Explicar en qué consiste ese trabajo.
- Aconsejarle sobre la mejor manera de encontrar trabajo.
- Expresarle sus buenos deseos.
- Despedirse.

TAREA 2

Lea la siguiente convocatoria de un concurso.

LA ASOCIACIÓN DE ANTIGUOS ALUMNOS
DEL COLEGIO SAN AGUSTÍN

Convoca, con motivo del 25 aniversario de su fundación, un concurso de relatos breves
con el tema *Mi escuela* en el que deberán hablar de su experiencia escolar.
En él podrán participar todos los antiguos estudiantes del colegio.

Escriba un comentario (entre 130-150 palabras) para el colegio contando:
- Cómo era su colegio.
- Quién era su profesor favorito y por qué.
- Quién era su profesor más odiado y por qué.
- Cómo eran sus compañeros.
- Qué anécdotas le pasaron en el colegio.
- Cómo valora aquellos años.

**Anote el tiempo
que ha tardado:**

Recuerde que solo
dispone de **60 minutos**

Apuntes de gramática

- Para aconsejar, usamos las siguientes estructuras:
  - Imperativo afirmativo y negativo.
  - *Tener que/Deber* + infinitivo.
  - *Lo mejor es que/Es importante/preferible que* + presente de subjuntivo.
  - *Te aconsejo/recomiendo que* + presente de subjuntivo.
  - *Yo/Yo que tú/Yo en tu lugar* + condicional simple.
- Formulamos buenos deseos con:
  - *Que tengas suerte/Que te vaya bien/Espero que* + subjuntivo.
  - *Ojalá* + subjuntivo.
- Para explicar la causa de algo, usamos:
  - *Como* + indicativo.
  - ... *porque* + indicativo.
  - ... *ya que* + indicativo.
  - ... *debido a que* + indicativo/*debido a* + sustantivo.
  - ... *a causa de que* + indicativo/*a causa de* + sustantivo.
  - ... *gracias a que* + indicativo/*gracias a* + sustantivo.
  - ... *por culpa de* que + indicativo/*por culpa de* + sustantivo.
  - ... *por* + infinitivo/adjetivo/sustantivo.

Usos del pasado

- Para describir en pasado, usamos el pretérito imperfecto.
- Para las acciones habituales, usamos el pretérito imperfecto.
- Para las acciones únicas, usamos el pretérito perfecto simple.
- Para valorar en pasado, usamos el pretérito perfecto simple.
  - *Fueron unos años maravillosos/terribles.*
  - *Fueron los mejores/peores años de mi vida.*
  - *Lo pasé muy bien/mal.*
  - *Me encantó.*
- Para hablar de una acción anterior a otra en pasado, usamos el pretérito pluscuamperfecto.

Hablar sobre los profesores
- *Son jóvenes y dinámicos.*
- *Están muy cualificados/preparados/formados.*
- *Explican bien.*

Describir un puesto de trabajo
- *Es responsable de la formación interna.*
- *Coordina las relaciones con los proveedores.*
- *Organiza grupos de trabajo.*
- *Tiene relación con clientes y proveedores.*
- *Se encarga de la recepción de llamadas.*

Algunos conectores importantes para ordenar y relacionar las ideas
Hablar de las consecuencias:
- *Así que...*
- *Por tanto...*
- *Por consiguiente...*

PRUEBA 4 — Expresión e interacción orales

 15 min Tiempo disponible para preparar las tareas 1 y 2.

15 min Tiempo disponible para realizar las 4 tareas.

TAREA 1

EXPOSICIÓN DE UN TEMA

Tiene que hablar durante 2 o 3 minutos sobre este tema.

> Hable de **su trabajo** o, si no trabaja, **del trabajo que le gustaría tener.**
>
> Incluya la siguiente información:
> - Qué tipo de trabajo realiza o le gustaría realizar.
> - Qué estudios o formación se necesitan para trabajar en eso.
> - Qué cualidades hay que tener para ser un buen profesional en ese campo.
> - Qué es lo que más le gusta de ese trabajo y lo que menos.
> - Si está satisfecho con su trabajo y, si no lo está, en qué le gustaría trabajar entonces.
>
> No olvide:
> - Diferenciar las partes de su exposición: introducción, desarrollo y conclusión.
> - Ordenar y relacionar bien las ideas.
> - Justificar sus opiniones y sentimientos.

TAREA 2

CONVERSACIÓN CON EL ENTREVISTADOR

Después de terminar la exposición de la Tarea 1, deberá mantener una conversación con el entrevistador sobre el mismo tema.

Ejemplos de preguntas
- ¿Qué es lo que más le importa en un trabajo: el prestigio, el sueldo, el horario...?
- ¿Fue difícil para usted encontrar trabajo?
- ¿Qué tipos de trabajo son los más valorados en su país?
- ¿Hay problemas para encontrar trabajo en su país actualmente?

TAREA 3

DESCRIPCIÓN DE UNA FOTO

Observe detenidamente esta foto.

Describa detalladamente (1 o 2 minutos) lo que ve y lo que imagina que está pasando. Puede comentar, entre otros, estos aspectos:
- Quiénes son y qué relación tienen.
- Qué están haciendo.
- Dónde están.
- Qué hay.
- De qué están hablando.

A continuación, el entrevistador le hará unas preguntas (2 o 3 minutos).

Ejemplos de preguntas
- ¿Le han hecho una entrevista de trabajo alguna vez?
- ¿Qué le preguntaron?
- ¿Cómo se sintió?
- ¿Qué cree que hizo bien y qué hizo mal en aquella entrevista?
- ¿Tuvo éxito? ¿Consiguió el trabajo?

TAREA 4

SITUACIÓN SIMULADA

Usted va a conversar con el entrevistador en una situación simulada (2 o 3 minutos).

Usted envió su currículum para una oferta de trabajo. El director de RR. HH. de la empresa le ha contestado diciendo que se ponga en contacto con su secretario para concertar una entrevista. Imagine que el entrevistador es el secretario de la empresa, hable con él de los siguientes temas:
- Explíquele que ha recibido un mensaje del director de Recursos Humanos.
- Dígale que llama para concertar una cita.
- Dígale que no le viene bien la fecha que le propone y explique por qué.
- Pídale que le dé una cita en otro momento.

Ejemplos de preguntas
- Buenos días. ¿En qué puedo ayudarle?
- ¿Cuándo recibió ese correo?
- El director tiene libre el martes a las 11, ¿le viene bien?

COMPRAS
Y
BANCOS

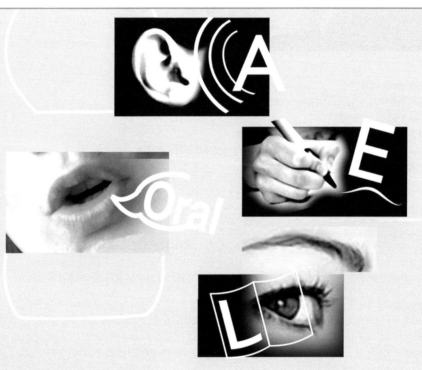

Te recomendamos
este útil y práctico
material para ampliar
el vocabulario
de español.

FICHA DE AYUDA
Para la expresión e interacción
escritas y orales

VOCABULARIO

TIENDAS

Caja (la) ....
Comprador/-a (el, la) ....
Dependiente/a (el, la) ....
Escaparate (el) ....
Grandes almacenes (los) ....
Maniquí (el) ....
Mostrador (el) ....
Oferta (la) ....
Probadores (los) ....
Rebajas (las) ....
Tienda de ropa, de complementos (la) ....
Tique de compra (el) ....
Vendedor/-a (el, la) ....
Zapatería (la) ....

ESTILO

A la moda ≠ Pasado de moda ....
Clásico ≠ Moderno, actual ....
Deportivo ....
Elegante ....
Formal ≠ Informal ....
Manga corta ≠ larga (la) ....
Tejidos, materiales
Algodón (el) ....
Cuero (el) ....
Lana (la) ....
Lino (el) ....
Piel (la) ....
Seda (la) ....
Sintético
Motivos
De cuadros ....
De lunares ....
De rayas ....
Liso

PRENDAS DE VESTIR

Abrigo (el) ....
Blusa (la) ....
Camiseta (la) ....
Chaqueta (la) ....
Traje (el) ....
Vaqueros (los) ....
Ropa interior y de dormir
Bragas (las) ....
Calcetines (los) ....
Calzoncillos (los) ....
Camiseta (la) ....
Medias (las) ....
Pijama (el) ....
Sujetador (el) ....

CALZADO

Botas (las) ....
Sandalias (las) ....
Zapatillas (las) ....
- de casa
- de deportes ....
Zapatos (los) ....
- de tacón o altos

COMPLEMENTOS Y ADORNOS

Anillo (el) ....
Cinturón (el) ....
Collar (el) ....
Gafas de sol (las) ....
Joyas (las) ....
Pendientes (los) ....
Pulsera (la) ....

VERBOS

Cobrar ....
Devolver ....
Elegir ....
Ir de compras ....
Probarse ....
Pagar (con tarjeta) ....
Quedar bien/mal

BANCO

Billete (el) ....
Cajero automático (el) ....
Cambio (el) ....
Cheque (el) ....
Crédito (el) ....
Cuenta (la) ....
Depósito (el) ....
Moneda (la) ....
Préstamo (el) ....
Recibo (el) ....
Tarjeta (la) ....
- de crédito
- de débito
Transferencia (la) ....

VERBOS

Abrir (una cuenta) ....
Ahorrar ....
Meter = Ingresar ....
Pedir un préstamo/crédito ....
Sacar = Retirar ....

 Comprensión de lectura

70 min

Tiempo disponible para las 5 tareas.

TAREA 1

A continuación va a leer seis textos en los que unas personas necesitan comprar algo y diez anuncios de tiendas. Relacione a las personas, 1-6, con los textos que informan sobre las tiendas, a)-j). Hay tres textos que no debe relacionar.

PREGUNTAS

	PERSONA	TEXTO
0.	ELENA	e)
1.	LUCAS	
2.	LUCÍA	
3.	VICENTE	
4.	MARTA	
5.	GERARDO	
6.	CHARO	

0. ELENA	Hoy mi hija cumple 10 años y ha invitado a todos los amigos de su clase. Tengo que comprar una tarta bien grande.
1. LUCAS	Tengo que cambiar de nevera ya. La que tengo está viejísima y me temo que se va a estropear cualquier día de estos.
2. LUCÍA	He quedado con unas amigas para hacer senderismo el próximo fin de semana. Necesito comprar unas deportivas cómodas. Las que tengo ya están demasiado viejas.
3. VICENTE	Dentro de nada mi novia cumple 25 años y quiero hacerle un regalo especial. Pienso que una pulsera bonita no es una mala opción...
4. MARTA	Mi hermana y su marido se han comprado una casa y me han invitado a comer. Creo que voy a llevar una botella de cava.
5. GERARDO	Es el aniversario de mi abuela y no se me ocurre qué comprarle, así que creo que voy a llevarle unos bombones. A ella le encantan.
6. CHARO	Mi mejor amiga acaba de tener un niño. Esta tarde voy a visitarla a la clínica. Pienso llevarle un bonito ramo.

DE TIENDAS POR NUESTRA CIUDAD

a) **MAGIA DE COLORES.** Magia de Colores acaba de abrir en la calle Cordel de los Navarros. La tienda ofrece una gran variedad de flores y de arreglos florales para todas las ocasiones. Además, sus amables dependientes te informarán del lenguaje de las flores y de cuál es más apropiada para cada ocasión. ¡Dígaselo con flores!

---

b) **CALZADOS MARTÍNEZ.** La zapatería más famosa de nuestra ciudad celebra su 50 aniversario con unos descuentos espectaculares. Zapatos de hombre, mujer y niño para toda ocasión y con una calidad excelente demostrada a través de los años. Descuentos de hasta el 60 % incluso en zapatos de fiesta.

---

c) **EL PRÍNCIPE FELIZ.** Especiliazada en juguetes, juegos tradicionales y educativos, videojuegos, complementos, disfraces y todo lo que pueda desear un niño. Además, solo por visitarnos, los niños menores de doce años reciben un regalo sorpresa. Y por compras superiores a 30 euros se participa en el sorteo mensual de una bicicleta.

---

d) **EL MUNDO DEL CACAO.** Nadie puede negar la maestría de los suizos en el mundo del chocolate. Las especialidades de esta chocolatería son insuperables y son un regalo apropiado para cualquier ocasión. Sus preciosas cajas de cartón y lata, imitando modelos antiguos, se pueden además reutilizar para mil propósitos.

---

e) **LA SABROSA.** Desde 1888. Nuestros abuelos ya disfrutaron de las especialidades de esta pastelería situada en pleno centro y que abre todos los días de la semana. Sus deliciosos pasteles de crema tienen una merecida fama. También aceptan encargos para ocasiones especiales. Ahora, además, han ampliado el local y ofrecen servicios de cafetería para disfrutar allí mismo de sus especialidades.

---

f) **OLIVIA OLIVARES.** Ha lanzado su colección otoño-invierno, en la que los colores de la naturaleza se combinan entre sí de un modo elegante y llamativo al mismo tiempo. El traje chaqueta es el protagonista absoluto de esta temporada. Entre los complementos destacan los cinturones de grandes hebillas doradas.

---

g) **JOYERÍA PLATERÍA LOLA LUNA.** La diseñadora Lola Luna ha lanzado una nueva colección de exclusivas joyas: *Sueños de luna*, que combina plata y piedra de luna en diseños realmente originales y atractivos. Los precios oscilan entre los anillos de 65 € a los conjuntos de collar y pendientes por 1 200 €.

---

h) **VINOTECA BACO.** Especialistas en bebidas y licores, pone a nuestra disposición una amplia oferta de productos nacionales e internacionales para todos los bolsillos. Sus vendedores, especializados en el mundo de los vinos y licores, le aconsejarán sobre lo más apropiado para cada plato y circunstancia.

---

i) **TERCER MILENIO.** En sus bien organizadas secciones encontrará todo lo que busque: clásicos, niños, actualidad, libros en otros idiomas. Muy interesante también es la oferta en versión digital. Y con la tarjeta de comprador frecuente, puede obtener interesantes descuentos.

---

j) **LA CASA DEL FUTURO.** La más famosa cadena de tiendas de electrodomésticos ha inaugurado una tienda en nuestra ciudad. La oferta de todo tipo de aparatos para el hogar es realmente impresionante, así como las condiciones de pago que ofrecen. Además, con el programa «casas siglo xxi» hacen descuentos especiales en la compra de electrodomésticos de la gama ahorro energético.

TAREA 2

A continuación hay un texto sobre las ventajas e inconvenientes de la banca on-line. *Después de leerlo, elija la respuesta correcta, a), b) o c), para las preguntas, 7-12.*

VENTAJAS Y DESVENTAJAS DE LA BANCA *ON-LINE*

Casi once millones de españoles realizan ya operaciones bancarias por Internet, 4 % más que hace un año.

En los últimos cinco años, la banca *on-line* ha registrado un crecimiento aproximado del 80 % en nuestro país aunque su implantación en España sigue por detrás del resto de la Unión Europea, ya que aún muchos españoles no se sienten cómodos haciendo sus transacciones bancarias por Internet. Hay quienes se niegan a efectuar sus operaciones bancarias ya no solo a través de Internet, sino con bancos que no cuentan con oficinas físicas. La inseguridad que genera la red y perder «el contacto humano» hacen que muchos clientes de la banca tradicional se cuestionen dar el salto a la banca *on-line*.

Sin embargo, las ventajas de operar en la red superan con creces a sus inconvenientes. Al ahorro de tiempo –como es el de desplazarnos al banco– se une la posibilidad de disponer de un servicio veinticuatro horas al día, siete días de la semana. A ello se une el ahorro de costes que supone la banca *on-line* para la entidad financiera como supone el gasto en oficinas físicas y en empleados, ahorro que este tipo de banca transforma en mejores precios en los productos que ofrece al cliente. Sin olvidarse de que los bancos *on-line* no suelen cobrar comisiones ni de mantenimiento ni de administración para sus productos como cuentas corrientes y las transacciones por Internet son gratuitas

hasta un máximo de 50 000 euros. Por lo general, además, los diferenciales de las hipotecas de los bancos que operan *on-line* suelen ser también más bajos que los que ofrecen los tradicionales aunque, en los últimos meses, esta tendencia está cambiando y cada vez se acercan más.

Otra ventaja de la banca electrónica es su mayor información y transparencia. Contratar los productos bancarios por Internet hace que el cliente conozca perfectamente las condiciones de los mismos, ya que los bancos tienen obligación de publicarlos en la web.

La seguridad de operar con cuentas bancarias *on-line* continúa siendo otro de los puntos que más afecta a los usuarios. Esta ha mejorado muchísimo con los años y en la actualidad cada entidad financiera adopta alguna medida *anti-phising* para evitar que se *hackeen* las cuentas bancarias. Entre ellas, los teclados virtuales, las tarjetas de coordenadas que se le entregan en mano al titular de la cuenta, el DNI electrónico o las claves únicas enviadas por SMS.

Otro simple hábito que puede mejorar la seguridad del servicio de banca electrónica es teclear la dirección web del banco. De este modo se evita que alguien pueda suplantar la página original y robar las claves de los usuarios utilizando una dirección similar. Evidentemente se aconseja no realizar ninguna operación de banca electrónica en equipos públicos.

Adaptado de www.elconfidencial.com

PREGUNTAS

7. Según el texto, el uso de la banca *on-line*:
   a) No acaba de ser aceptado por muchos españoles.
   b) Es superior en España que en otros países europeos.
   c) Ha disminuido en España en el último año.

8. Según el texto, algunos continúan usando la banca tradicional:
   a) Aunque la consideran más insegura.
   b) Porque prefieren tratar con personas.
   c) Pero a través de Internet.

9. En el texto se afirma que las ventajas de la banca *on-line*:
   a) Son menores que los inconvenientes.
   b) Se limitan a mejores horarios.
   c) Son tanto para clientes como para bancos.

10. En el texto se afirma que en las cuentas *on-line*:
    a) Hay algunas operaciones que no conllevan coste alguno.
    b) Las operaciones tienen la misma comisión que las tradicionales.
    c) Solo se puede tener hasta un máximo de 50 000 euros.

11. El texto afirma que la seguridad de la banca *on-line*:
    a) Es un asunto que ya no preocupa a los usuarios.
    b) Sigue siendo muy insuficiente.
    c) La resuelve cada banco con diferentes sistemas.

12. El texto aconseja como medida de seguridad:
    a) No utilizar ordenadores que no sean privados.
    b) No tener direcciones parecidas.
    c) Buscar en Internet la dirección del banco.

Preparación Diploma de Español (Nivel B1)

TAREA 3

A continuación va a leer tres textos en los que tres personas hablan sobre su economía. Después, relacione las preguntas, 13-18, con los textos, a), b) o c).

PREGUNTAS

	a) Aurora	b) Pedro	c) Cristina
13. ¿Quién está estudiando todavía?			
14. ¿A quién le cuesta llegar a fin de mes?			
15. ¿A qué persona le gustaría vivir sola?			
16. ¿A quién han tenido que dejarle dinero?			
17. ¿Quién planea un viaje al extranjero?			
18. ¿Qué persona no gasta mucho?			

a) Aurora

Vivo con mis padres y, aunque trabajo, mi sueldo no me da como para alquilar un apartamento y mucho menos comprarlo. Y tampoco tengo posibilidades de pedir un crédito. La verdad es que a veces echo de menos más libertad, pero entre compartir una casa con desconocidos, que era la otra opción, y mi familia, pues prefiero seguir viviendo en casa de mis padres. Esto, además, me da la oportunidad para economizar un poco. Soy muy cuidadosa con mi dinero, solo compro lo que necesito, casi nunca como fuera, una caña de vez en cuando con los amigos...

b) Pedro

Yo, desde el punto de vista económico, todavía dependo completamente de mis padres porque aún me quedan un par de años para acabar la carrera. Afortunadamente, mis padres están bien económicamente y son muy generosos, la verdad. De cualquier modo, me gustaría encontrar algún trabajo compatible con mis horarios para tener un poco de independencia económica y sentir que ayudo con mis gastos. ¡Es que los libros son tan caros! Bueno, y es que salgo mucho, todos los fines de semana... Además, mis amigos y yo estamos pensando en ir de vacaciones a Portugal el próximo verano. Hemos mirado los precios del avión y de hoteles y va a ser bastante dinero.

c) Cristina

Pues yo, la verdad, es que tengo que aprender a controlar mis gastos. No tengo un mal sueldo y vivo sola, pero el otro día intenté pagar con la tarjeta y no había saldo en mi cuenta. ¡Y era solo 25 del mes! Tuve que pedir prestado a mi hermana y lo malo es que no es la primera vez que pasa. Creo que mi problema es que me encanta comprar. En mi trabajo, además, tengo que ir bien vestida y raro es el mes que no gasto unos cientos de euros en ropa y zapatos. También salgo mucho con mis amigos y vamos a sitios caros. Mi hermana es todo lo contrario que yo. Creo que tengo que aprender de ella.

TAREA 4

A continuación va a leer un texto del que se han extraído seis fragmentos. Después, lea los ocho fragmentos, a)-h), y decida en qué lugar del texto, 19-24, va cada uno. Hay dos fragmentos que no tiene que elegir.

ENFEMENINO.TV	BELLEZA	MODA	NOVIAS	LUJO	MATERNIDAD	EN FORMA	PAREJA	MUJER DE HOY	PSICO & TESTS	ELLOS

¿CÓMO LLEGAR A FINAL DE MES?

Cada vez es más difícil poder llegar a final de mes. Son muchos los motivos y muchas cosas que se ponen en nuestra contra para poder terminar tranquilos el mes. Por eso, queremos daros algunos consejos y trucos para ahorrar.

Antes que nada, es imprescindible realizar una hoja de gastos con las entradas y salidas. Muchos entendidos en la materia lo aconsejan. **19.** _____.

Gran parte de nuestros ingresos se destina a la alimentación, por eso, antes de ir a la compra, deberemos crear una lista de lo que necesitamos, así compraremos solo y exclusivamente lo necesario.

20. _____. Ahí podemos ver en qué tienda encontraremos cada producto más barato. Otra forma de ahorrar es comprar siempre marcas blancas y productos que estén en oferta.

21. _____. Es mucho mejor pagar en efectivo, y si no nos llega, dejar lo que menos necesitemos en ese momento.

Hay ocasiones en las que nuestro estado físico o de ánimo nos juega malas pasadas y hace que gastemos más. **22.** _____. En esas ocasiones, debería estar prohibido ir a los centros comerciales, las tiendas o los supermercados.

A la hora de ir a comprar ropa hay que tener en cuenta ciertas cosas: comprobar en nuestro armario qué prendas tenemos y cuáles necesitamos. Es muy frecuente ir de tiendas y aparecer en casa con prendas muy similares a las que ya teníamos. ¿Y por qué no hacer un presupuesto? **23.** _____. Otra buena idea, cuando queremos renovar nuestro vestuario, es no hacerlo en plena temporada, sino esperar a las rebajas y así aprovechar las ofertas.

Respecto al hogar, lo más importante que tenemos que tener en cuenta es ventilar la casa no más de diez minutos. **24.** _____. También hay que apagar todos los electrodomésticos que podamos y cambiar todas las bombillas de casa por las de bajo consumo. Al final de año notaremos un considerable ahorro en la factura de electricidad.

Espero que estos consejos os sirvan de ayuda y que podáis llegar a final de mes sin morir en el intento.

Adaptado de www.ahorradoras.com

FRAGMENTOS

a)

Una vez hecha la lista podemos comparar precios en webs especializadas, como Tiendeo.

b)

Estos son solo algunos de los consejos que pueden ayudaros a llegar a fin de mes.

c)

Como por ejemplo, si vamos a la compra con el estómago vacío, o un día en el que estamos tristes, o cuando acabamos de cobrar y estamos demasiado alegres.

d)

Esta es una buena técnica: podemos calcular cuánto nos podemos gastar en ropa al mes y no sobrepasar el límite.

e)

Así podremos llevar un total control del dinero que entra en casa y de los gastos que tenemos al mes.

f)

De esta manera el aire se renueva suficientemente y ahorramos en gas y luz.

g)

Otro punto que hay que tener en cuenta, cuando se trata de hacer la compra, es que muchas veces compramos con la tarjeta y no nos damos cuenta del dineral que gastamos.

h)

Por eso hay que tener en cuenta la calefacción. No es necesario tenerla a temperaturas extremadamente bajas ni extremadamente altas.

TAREA 5

A continuación va a leer un mensaje de correo electrónico. Elija la opción correcta, a), b) o c), para completar los huecos, 25-30.

⚫⚫⚫   ✉ Sin título

🔺 Enviar ahora 🔺 Enviar más tarde 🔲 ✎ ▾ 🗑 📎 ✒ ▾ 🖼 ▾ ⇉ 📊 Insertar ▾ ☰ Categorías ▾

Para: [   ]

Asunto: [   ]

ab✎
✑ab [Fuente ▾] [Tamaño ▾] N *K* S̲ T ☰ ☰ ☰ ☰ ⬚ ⬚ ⬚ ⬚ ▦A❘ ▾ ✏ ▾ ──

Querido Roberto:

¿Qué tal todo? ¿Cómo están los amigos? Yo, feliz en Lisboa. Esto es precioso y la gente que estoy conociendo es muy abierta.

Te escribo para pedirte un favor. Resulta que estoy teniendo muchos gastos. Ya sabes, aunque la casa que he alquilado está amueblada, tengo que comprar muchas cosas. Y el otro día, cuando intenté pagar con mi tarjeta del banco, no ____25____. Creo que debe de ser que hay un límite de gasto mensual que yo ahora mismo no recuerdo, solo ____26____ que tengo saldo suficiente.

Cuando salí de allí hacia Portugal, tenía más ____27____ 10 000 euros en la cuenta y hasta ahora no he gastado tanto ni mucho menos. He intentado entrar en mi cuenta a través de Internet, pero no lo he logrado. Como tú tienes tu cuenta en el mismo banco y conoces a los empleados, pregúntales ____28____ es posible aumentar ese límite. Es que, si no, no sé qué voy a hacer. Por ahora ____29____ he pedido prestado a una compañera encantadora, pero no puedo seguir así.

Llámame o escríbeme en cuanto ____30____ alguna información, por favor.

Un abrazo y muchas gracias,
Leo

PREGUNTAS

---

25. a) pude   b) había podido   c) he podido

26. a) conozco   b) sé   c) aprendo

27. a) que   b) como   c) de

28. a) que   b) si   c) lo que

29. a) se   b) la   c) le

30. a) tengas   b) tienes   c) tendrás

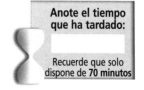

Anote el tiempo que ha tardado:

Recuerde que solo dispone de **70 minutos**

 PRUEBA 2 Comprensión auditiva

40 min
Tiempo disponible
para las 5 tareas.

CD I

Pista 16

TAREA 1

A continuación va a escuchar seis mensajes de megafonía de un centro comercial. Oirá cada mensaje dos veces. Después, seleccione la opción correcta, a), b) o c), para cada pregunta, 1-6. Dispone de 30 segundos para leer las preguntas.

PREGUNTAS

Mensaje 1
1. ¿Qué ofrece la Semana del Hogar de Market Place?
   a) Descuentos del 25 % en los electrodomésticos.
   b) Ofertas de productos diferentes diariamente.
   c) Un microondas gratis al comprar una vitrocerámica.

Mensaje 2
2. ¿Qué se comunica a los clientes en este aviso?
   a) Un cambio en los horarios a partir de hoy.
   b) Que el centro cierra dentro de quince minutos.
   c) Que mañana el centro tendrá su horario normal.

Mensaje 3
3. ¿Qué debe hacer quien encuentre al niño?
   a) Llevarlo a la planta de abajo.
   b) Informar a cualquier empleado.
   c) Preguntar por Diego.

Mensaje 4
4. ¿Dónde se puede conseguir la tarjeta Hipermás?
   a) A través de la página web de la tienda.
   b) En el Departamento de Atención al Cliente.
   c) En la caja central del hipermercado.

Mensaje 5
5. ¿Cuál es el objetivo del bazar?
   a) Conseguir dinero para hacer hospitales para niños.
   b) Hacer una recepción a la ministra de Asuntos Sociales.
   c) Exponer artesanía de diferentes países de Centroamérica.

Mensaje 6
6. ¿Qué celebra Blanco y Negro?
   a) Que abre por primera vez al público.
   b) Que ya tiene cien clientes.
   c) Que ha vuelto a abrir su tienda.

CD I

Pista 17

TAREA 2

A continuación va a escuchar un fragmento del programa Adicciones y compulsiones *donde David explica cómo descubrió que su mujer era una compradora compulsiva. Lo oirá dos veces. Después seleccione la opción correcta, a), b) o c), para cada pregunta, 7-12.*
Dispone de 30 segundos para leer las preguntas.

PREGUNTAS

---

7. David dice que su mujer:
   a) Siempre encontraba una excusa para comprar.
   b) Solo compraba cosas para su propio uso personal.
   c) No le gustaba explicar por qué compraba.

8. En la grabación, David cuenta que:
   a) El problema de su mujer era que no trabaja.
   b) Tenían problemas de dinero.
   c) La situación podía empeorar.

9. Según el audio, quien primero se dio cuenta del problema fue:
   a) Su propia mujer.
   b) Él mismo.
   c) El médico de familia.

10. El audio afirma que el problema de la adicción a las compras:
    a) Afecta en igual medida a hombres y mujeres.
    b) La padecen más las mujeres de cualquier clase social.
    c) Apenas se da en los hombres.

11. En la grabación, David cuenta que decidió:
    a) Consultar con un profesional.
    b) Hablar con un pariente.
    c) Comentarlo con su mujer.

12. David cuenta que su mujer:
    a) Aceptó rápidamente que tenía que ir al psicólogo.
    b) Se negaba a reconocer su problema.
    c) Pidió ayuda a su madre.

CD I

Pista 18

TAREA 3

A continuación va a escuchar seis noticias de un programa radiofónico mexicano. Lo oirá dos veces. Después, seleccione la respuesta correcta, a), b) o c), para las preguntas, 13-18. Dispone de 30 segundos para leer las preguntas.

PREGUNTAS

Noticia 1

13. El encuentro de Fomento a las Industrias Culturales y Creativas:
    a) No es la primera vez que se celebra.
    b) Se celebrará cada año a partir de ahora.
    c) Se celebra en diferentes partes del mundo.

Noticia 2

14. Según el Instituto Nacional de Estadística:
    a) Hay menos empleo en la industria que el año pasado.
    b) El sector industrial se mantiene sin cambios.
    c) Aumenta el número de empleos en industrias del Gobierno.

Noticia 3

15. El salario mínimo en México:
    a) Será igual en todo el país.
    b) Ha subido menos que el año pasado.
    c) Es de más de sesenta pesos al mes.

Noticia 4

16. La feria de negocios ExpoPerú México:
    a) Expone productos de diferentes industrias.
    b) Se celebra en Perú.
    c) Costará más de diez millones de dólares.

Noticia 5

17. La cadena de tiendas de autoservicio Walmart:
    a) Solo existe en México.
    b) Va peor en México que en otros lugares de Centroamérica.
    c) Ha abierto dieciséis tiendas en México en lo que va de año.

Noticia 6

18. El precio del huevo en México:
    a) Ha subido mucho últimamente.
    b) Es igual en todo el país.
    c) Ha descendido un 8 %.

CD I

Pista 19

TAREA 4

A continuación va a escuchar a seis personas contando cómo resuelven sus compras semanales. Oirá a cada persona dos veces. Después, seleccione el enunciado, a)-j), que corresponde al tema del que habla cada persona, 19-24. Hay diez enunciados (incluido el ejemplo), pero debe seleccionar solamente seis.
Dispone de 20 segundos para leer los enunciados.

ENUNCIADOS

a) Va a pie a la compra.
b) Hace una parte de la compra.
c) *No le gusta hacer la compra.*
d) Le traen la compra a casa.
e) En su familia son vegetarianos.
f) Hace una sola compra mensual.
g) Gasta mucho en comida.
h) Hace la compra en pequeños comercios.
i) Encarga sus compras por teléfono.
j) Otra persona hace la compra por ella.

	PERSONA	ENUNCIADO
	Persona 0	c)
19.	Persona 1	
20.	Persona 2	
21.	Persona 3	
22.	Persona 4	
23.	Persona 5	
24.	Persona 6	

CD I

Pista 20

TAREA 5

A continuación va a escuchar una conversación entre dos amigos de trabajo, Carmen y Miguel. Después, decida si los enunciados, 25-30, se refieren a Carmen, a), Miguel, b), o a ninguno de los dos, c).
Dispone de 25 segundos para leer los enunciados.

	a) Carmen	b) Miguel	c) Ninguno de los dos
0. Va en transporte público a su trabajo.		✓	
25. Ha cambiado de trabajo.			
26. Tiene hijos adolescentes.			
27. Uno de sus hijos está enfermo hoy.			
28. Tiene familia viviendo en Francia.			
29. Prefiere pagar en efectivo.			
30. Acaba de comprarse un electrodoméstico.			

Anote el tiempo que ha tardado:

Recuerde que solo dispone de **40 minutos**

PRUEBA 3  Expresión e interacción escritas

60 min

Tiempo disponible para las 2 tareas.

TAREA 1

Usted ha recibido este mensaje electrónico de una amiga.

⊙ ⊙ ⊙	✉ Sin título

Enviar ahora   Enviar más tarde   🗔 🔗 ▾ 🗑 📎 ✏ ▾ 🖼 ▾ ≡ Insertar ▾ ≡ Categorías ▾

Hola, ¿cómo andas? Ya me dijo Jorge que te encontró en las rebajas y que estabas comprando de todo... Cuéntame, ¿qué te has comprado? ¿Has encontrado algo interesante? ¿En qué tiendas están las mejores ofertas? Es que yo necesito ir de compras también. Toda mi ropa está pasada de moda o no combina entre sí... y de zapatos, ni te cuento. La verdad es que soy un desastre comprando: compro cosas que no necesito o demasiado caras...
Bueno, espero tu respuesta. Un abrazo, Teresa

Escriba un correo electrónico a Teresa (entre 100-120 palabras) en el que deberá:

- Saludar.
- Explicar a qué tiendas fue y compararlas entre sí.
- Describir las cosas que se compró.
- Aconsejar a Teresa sobre cómo conseguir las mejores ofertas.
- Ofrecerse a acompañarla.
- Despedirse.

TAREA 2

Lea la siguiente entrada en su facebook.

facebook

ha compartido un **enlace**. Hace aproximadamente una hora 🌐

El otro día empecé a ordenar mis cajones y apareció una pluma que me regaló mi abuelo cuando empecé el bachillerato. A él se la había dado su padre cuando fue a la universidad. ¡Qué recuerdos!

Escriba un comentario (entre 130-150 palabras) en este facebook contando:

- Qué objeto es especial para usted.
- Quién se lo dio o si lo compró usted mismo.
- En qué circunstancias obtuvo este objeto.
- Por qué es importante para usted.
- Qué planes tiene para ese objeto.

Anote el tiempo que ha tardado:

Recuerde que solo dispone de **60 minutos**

Apuntes de gramática

- Los pronombres personales de OD (*me, te, lo, la, nos, os, los, las*):
  - Siempre van delante del verbo conjugado: *Lo recibí como regalo de cumpleaños.*
  - Cuando van con perífrasis de infinitivo y gerundio, pueden ir delante o detrás: *Voy a guardarlo para siempre.*

- El pronombre de OI (*me, te, le, nos, os, les*):
  - Suele ir delante del OD (cuando se refiere normalmente a la persona): *Me lo regaló en mi décimo cumpleaños.*
  - *Le* y *les* se convierten en *se* cuando van delante de los pronombres de objeto directo *lo, la, los* o *las: Se lo regalaré a mi hijo.*

- La comparación:
  - Para comparar las cualidades de dos cosas, usamos: *más/menos* + adjetivo + *que*; *tan* + adjetivo + *como*.
  - Para comparar dos acciones, usamos: verbo + *más/menos que*; verbo + *tanto como*.
  - Cuando comparamos cantidades, usamos: verbo + *más/menos de*.
  - Si comparamos cosas o personas, usamos: *más/menos* + sustantivo + *que*; *tanto/a/os/as* + sustantivo + *como*.

Describir cómo sienta una prenda
- *Este abrigo me/te/le/nos/os/les sienta bien/mal.*
- *Esta falda me/te/le/nos/os/les queda ancha/estrecha/grande/pequeña.*

Aconsejar
- *Te aconsejo que lo compres ya.*
- *Lo mejor es que mires en otro lugar.*
- *Es conveniente que compares precios.*

Hablar de planes e intenciones
- *Pienso ponerlo en la habitación.*
- *Estoy pensando en venderlo en e-Bay.*
- *Mi intención es usarlo cada día.*
- *Tengo la intención de cuidarlo siempre.*

Algunos conectores importantes para ordenar y relacionar las ideas
Oponer ideas:
- *Sin embargo…*
- *En cambio…*
- *Pero…*

Organizar las ideas:
- *En primer lugar, en segundo lugar…*
- *Por un lado… por otro…*
- *Por una parte… por otra…*

Concluir:
- *En conclusión…*
- *En resumen…*

Ofrecer ayudar
- *¿Quieres que te acompañe?*
- *¿Quieres que vaya contigo?*
- *¿Necesitas ayuda/que te ayude?*

Expresión e interacción orales

15 min | Tiempo disponible para preparar las tareas 1 y 2.

15 min | Tiempo disponible para realizar las 4 tareas.

TAREA 1

EXPOSICIÓN DE UN TEMA

Tiene que hablar durante 2 o 3 minutos sobre este tema.

Hable de **su estilo de vestir y la ropa con que se siente cómodo.**

Incluya la siguiente información:

Qué tipo de ropa suele usar:
- Si suele vestir de modo diferente los días de diario y los festivos.
- Si le gusta comprar marcas y, si es así, cuáles compra.
- Si compra en rebajas o en temporada.
- Si cree que gasta demasiado en ropa.

No olvide:
- Diferenciar las partes de su exposición: introducción, desarrollo y conclusión.
- Ordenar y relacionar bien las ideas.
- Justificar sus opiniones y sentimientos.

TAREA 2

CONVERSACIÓN CON EL ENTREVISTADOR

Después de terminar la exposición de la Tarea 1, deberá mantener una conversación con el entrevistador sobre el mismo tema.

Ejemplos de preguntas
- ¿Le importa mucho seguir la moda o cree que tiene un estilo personal?
- ¿Cree que la gente le da demasiada importancia a cómo van vestidos los demás?
- ¿Cómo es el estilo de vestir en su país: informal, clásico, moderno...?
- ¿Es muy cara la ropa en su país?

TAREA 3

DESCRIPCIÓN DE UNA FOTO

Observe detenidamente esta foto.

Describa detalladamente (1 o 2 minutos) lo que ve y lo que imagina que está pasando. Puede comentar, entre otros, estos aspectos:
- Quiénes son y qué relación tienen.
- Qué están haciendo.
- Dónde están.
- Qué hay.
- De qué están hablando.

A continuación, el entrevistador le hará unas preguntas (2 o 3 minutos).

Ejemplos de preguntas
- ¿Le gusta ir de compras? ¿Prefiere ir solo o con gente?
- ¿Compra normalmente en rebajas o en temporada?
- ¿Le gusta comprar marcas? ¿Tiene alguna tienda o marca favorita?
- ¿Qué es lo último que se ha comprado?

TAREA 4

SITUACIÓN SIMULADA

Usted va a conversar con el entrevistador en una situación simulada (2 o 3 minutos).

Usted ha visto en un escaparate una prenda que le gusta mucho y entra en la tienda para comprarla. Imagine que el entrevistador es el dependiente de la tienda, hable con él de los siguientes temas:
- Explíquele qué prenda quiere.
- Diga de qué color, talla... la quiere.
- Pregúntele si se la puede probar y dónde están los probadores.
- Pídale una talla más grande/pequeña, otro color...
- Pregunte el precio y si puede pagar con tarjeta.

Ejemplos de preguntas
- Buenos días. ¿Qué desea?
- ¿De qué talla?
- De esa talla hay negro y azul, ¿qué color prefiere?

CUERPO
Y
SALUD

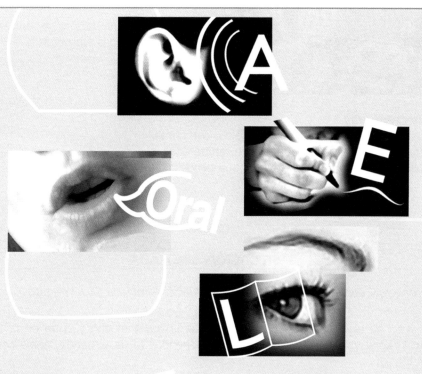

Te recomendamos
este útil y práctico
material para ampliar
el vocabulario
de español.

FICHA DE AYUDA
Para la expresión e interacción
escritas y orales

VOCABULARIO

PROFESIONALES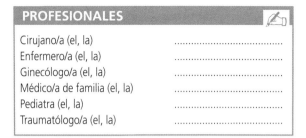

Cirujano/a (el, la) ....
Enfermero/a (el, la) ....
Ginecólogo/a (el, la) ....
Médico/a de familia (el, la) ....
Pediatra (el, la) ....
Traumatólogo/a (el, la) ....

LUGARES

Centro de salud (el) ....
Clínica (la) ....
Consulta (la) ....
Farmacia de guardia (la) ....
Hospital (el) ....
Sala de operaciones (la) ....
Urgencias (las) ....

PARTES DEL CUERPO

Brazo (el) ....
Codo (el) ....
Corazón (el) ....
Espalda (la) ....
Estómago (el) ....
Garganta (la) ....
Hueso (el) ....
Muela (la) ....
Muñeca (la) ....
Músculo (el) ....
Oído (el) ....
Pecho (el) ....
Pulmón (el) ....
Rodilla (la) ....
Tobillo (el) ....

MEDICINAS

Antibiótico (el) ....
Aspirina (la) ....
Cápsula (la) ....
Comprimido (el) ....
Crema (la) ....
Gotas (las) ....
Inyección (la) ....
Jarabe (el) ....
Pastilla (la) ....
Píldora (la) ....
Pomada (la) ....
Vacuna (la) ....

PROBLEMAS DE SALUD

Acné (el) ....
Alergia (la) ....
Anorexia (la) ....
Bulimia (la) ....
Catarro (el) ....
Fiebre (la) ....
Gripe (la) ....
Obesidad (la) ....
Tos (la) ....

MEDICINA ALTERNATIVA

Acupuntura (la) ....
Aromaterapia (la) ....
Balneario (el) ....
Hierbas medicinales (las) ....
Homeopatía (la) ....
Masaje (el) ....
Terapia (la) ....

VARIOS

Alcohol (el) ....
Algodón (el) ....
Análisis (el) ....
- de orina ....
- de sangre ....
Tirita (la) ....
Termómetro (el) ....

VERBOS

Adelgazar ....
Automedicarse ....
Curar ....
Diagnosticar ....
Estar ....
- agotado ....
- estresado ....
- mareado ....
- resfriado ....
Fallecer ....
Mejorar ....
Operar ....
Ponerse enfermo ....
Prohibir ....
Recomendar ....
Romperse (un hueso) ....
Sentirse bien/mal ....
Tener buena/mala salud ....

PRUEBA 1  Comprensión de lectura

70 min Tiempo disponible para las 5 tareas.

TAREA 1

A continuación va a leer seis textos en los que unas personas hablan sobre pequeños problemas de salud y diez textos que informan sobre las propiedades de algunas plantas medicinales. Relacione a las personas, 1-6, con los textos que informan sobre las plantas, a)-j). Hay tres textos que no debe relacionar.

PREGUNTAS

	PERSONA	TEXTO
0.	LUCÍA	g)
1.	ALBERTO	
2.	DIANA	
3.	LUIS	
4.	LIDIA	
5.	CARLOS	
6.	ROSA	

0. LUCÍA	Mi problema viene desde la adolescencia. Siempre he tenido migrañas y me vienen cada vez con más frecuencia. Y estoy cansada de tomar tantas medicinas.
1. ALBERTO	Hoy, preparando la comida, he agarrado la cacerola con la mano, sin darme cuenta de que estaba demasiado caliente. ¡Me duele muchísimo! Y como es domingo, las farmacias cercanas están cerradas.
2. DIANA	Creo que he estado demasiado tiempo delante del ordenador. Tengo los ojos muy irritados. Están completamente rojos y me escuecen. Tendré que pedir cita al oculista.
3. LUIS	Me parece que me he pasado comiendo. ¡No debí repetir el cordero! Ahora tengo una pesadez de estómago increíble. Creo que voy a vomitar.
4. LIDIA	Mañana tengo el examen final y estoy histérica. Me temo que no voy a pegar ojo en toda la noche. Toda la información se mezcla en mi cabeza.
5. CARLOS	Sevilla es preciosa, pero hemos estado andando todo el día. Hemos visto tres museos, el parque de María Luisa, el Alcázar... Y estos zapatos no son muy cómodos. ¡No puedo más!
6. ROSA	Ayer hacía más frío de lo que pensaba y salí con poca ropa de abrigo. Creo que me he acatarrado. No puedo respirar bien y no paro de estornudar.

HIERBAS Y PLANTAS MEDICINALES

a) **EL ALOE VERA.** Conocido en muchos lugares del planeta por sus propiedades medicinales y estéticas: cicatrizantes, regeneradoras de la piel, humectantes, antiinflamatorias, y muchísimas más, esta planta es, además, un gran recurso natural que alivia en casos de quemaduras y problemas de piel.

b) **LA MENTA.** Esta planta de sabor agradable es muy valorada por su calidad curativa en diversas enfermedades y problemas. Hay muchas clases de mentas y todas son bastante apreciadas. Su uso está extendido en infinidad de preparados.

c) **LA TILA.** Esta infusión procede de las flores y frutos del árbol del tilo. Tiene diferentes usos y propiedades, sin embargo, debido a sus capacidades sedantes, es frecuente emplearla como tranquilizante para calmar el estado nervioso. Además, ayuda a dormir con facilidad.

d) **EL ROMERO.** Ha sido muy apreciado desde la antigüedad por su persistente buen olor, parecido al del limón y al del pino. Su empleo es muy común para la fabricación de cosméticos. Con él se fabrica el alcohol de romero, muy apreciado para calmar el cansancio en las piernas con un buen masaje.

e) **EL TÉ.** Es una hierba estimulante que posee efectos similares a los del café, pero que causa menos efectos negativos en el organismo. Tiene propiedades diuréticas y mejora la capacidad de atención. El té verde es especialmente apreciado por sus cualidades antioxidantes.

f) **LA MANZANILLA.** Es una de las infusiones más empleadas en el mundo, ya sea como bebida, para tratar diferentes trastornos, o aplicándola directamente con un algodón sobre la parte afectada. Es frecuente emplearla para irritaciones o inflamaciones oculares. También se usa para tratar el acné.

g) **EL ANÍS.** En caso de padecer dolor de vientre o cólicos, se puede utilizar el aceite de anís como calmante, friccionando el vientre de niños o adultos por unos minutos. También en casos de dolor de cabeza puede dar un masaje en la frente con los dedos mojados en aceite de anís.

h) **EL POLEO.** Esta hierba de sabor agradable es una de las más utilizadas como infusión, ya que tiene propiedades antiespasmódicas y antisépticas. Después de una comida abundante tomar una infusión de poleo ayudará en las digestiones pesadas, puesto que alivia la náusea.

i) **EL CLAVO DE OLOR.** El aceite del clavo de olor, o el propio clavo extraído de la flor de la planta, posee propiedades muy beneficiosas para tratar dolores de muelas y calmar los dolores bucales, porque adormece la zona dolorida.

j) **EL JENGIBRE.** Esta planta combate las congestiones nasales y refuerza las vías respiratorias. Una de las mejores formas de tomarlo es crudo, aunque también se puede preparar una infusión de jengibre, limón y té verde. Este remedio es útil contra el asma, resfriados, tos, catarros. Se debe beber dos veces al día.

Preparación Diploma de Español (Nivel B1)

TAREA 2

A continuación hay un texto sobre la mujer española y la salud. Después de leerlo, elija la respuesta correcta, a), b) o c), para las preguntas, 7-12.

La esperanza de vida de hombres y mujeres

El debate sobre si de lo que se trata es de vivir cuantos más años mejor, o si lo realmente importante es la calidad de vida, bien podría trasladarse ahora a las diferencias entre la esperanza de vida de hombres y mujeres.

Y es que, según el estudio de investigación *Mujer y Salud*, elaborado por el Instituto de la Mujer, la mujer vive más que el hombre, pero su mayor longevidad se acompaña de discapacidad y mala salud. Más vida, pero de peor calidad, en la que además, según este estudio, debe hacer frente a problemas que aumentan, como la sobrecarga física y psicológica por su rol de cuidadora de otros miembros de la familia, el impacto sobre la salud de la llamada *doble jornada* (trabajo dentro y fuera de casa), la depresión y los accidentes en el hogar.

El informe, con el que se pretende analizar la situación actual de las mujeres, a partir de un concepto amplio de salud que incluye el bienestar emocional, social y físico durante todo su ciclo vital, revela que las españolas viven más (tienen una esperanza de vida de 83,5 años), pero son los hombres los que tienen al nacer una esperanza de vida con buena salud superior a ellas (56,3 frente a 53,9 años).

En las mujeres, las enfermedades del sistema circulatorio suponen la primera causa de muerte (2,52 por cada mil mujeres), los tumores, la segunda (1,59 mujeres por mil) y las enfermedades del aparato respiratorio, la tercera (0,69 por mil); mientras que el cáncer es la primera causa en años potenciales de vida perdidos.

El informe del Instituto de la Mujer refleja que el género tiene «una influencia determinante» en la percepción del estado de salud, que es peor en la mujer que en el hombre. Esta percepción negativa que tienen las mujeres crece con la edad, y a medida que desciende el estatus socioeconómico y el nivel de estudios terminados.

El porcentaje de mujeres con algún problema crónico alcanza el 77,2 % frente al 64,6 % de hombres, y un 28,3 % de muchachas a partir de 16 años han visto limitadas sus actividades. Según el estudio, es 1,8 veces más probable que la mujer presente algún problema crónico y 1,5 veces más probable que vea limitada su actividad.

En cuanto a los hábitos de vida, el 23,9 % de las mujeres fuma habitualmente, menos que la cantidad de hombres que tienen esta adicción, aunque estos logran dejar de fumar más que ellas. Ellos tienen conductas menos saludables en el consumo de tabaco o alcohol, aunque esto está cambiando en la población más joven, si bien son ellas las que realizan menos actividad física y las que duermen menos horas.

Adaptado de www.elciudadano.cl

PREGUNTAS

7. Según el texto, la mujer española:

    a) Muere más tarde que el hombre, pero con peor salud.
    b) Suele fallecer junto a los suyos en el hogar.
    c) Necesita cuidados familiares cuando es anciana.

8. El informe *Mujer y Salud* afirma que:

    a) En España nacen más hombres que mujeres.
    b) No solo se considera el aspecto físico al hablar de salud.
    c) Los hombres nacen con mejor salud que las mujeres.

9. Según el texto:

    a) Muchas mujeres sufren cáncer durante muchos años.
    b) El cáncer acorta la esperanza de vida de muchas mujeres.
    c) La mayoría de las mujeres fallece a causa del cáncer.

10. El informe del Instituto de la Salud afirma que las mujeres españolas:

    a) Son más pobres y tienen peor educación que los hombres.
    b) Tienen peor nivel económico cuando son mayores.
    c) Sienten que tienen peor salud que los hombres.

11. Según el informe, los problemas crónicos:

    a) Se dan especialmente en las mujeres jóvenes.
    b) Afectan a la actividad de más mujeres que hombres.
    c) No afectan a los hombres jóvenes.

12. En el informe *Mujer y Salud* se afirma que:

    a) Hay más mujeres fumadoras que hombres.
    b) Las jóvenes llevan una vida más sana que los jóvenes.
    c) Un hombre abandona el tabaco más fácilmente que una mujer.

TAREA 3

A continuación va a leer tres textos en los que tres personas hablan sobre sus hábitos de vida. Después, relacione las preguntas, 13-18, con los textos, a), b) o c).

PREGUNTAS

	a) Elvira	b) Alfonso	c) Pilar
13. ¿Qué persona no comía carne antes?			
14. ¿Quién dice que antes no hacía ningún ejercicio físico?			
15. ¿Quién necesita un compañero para practicar deporte?			
16. ¿Quién dice que la medicación que tomaba le causó efectos secundarios?			
17. ¿A quién le preocupaba demasiado la vida sana antes?			
18. ¿Qué persona tiene una jornada laboral muy larga?			

a) Elvira

En mi trabajo estoy horas y horas sentada delante del ordenador. Empecé a tener dolor de cuello, de espalda, los brazos se me dormían... Fui al médico y me mandó unas pastillas y me dijo que tenía que hacer ejercicio. Las pastillas me las tomé, pero lo de hacer ejercició era más difícil. Nunca me ha gustado el deporte y, por tanto, nunca había practicado ninguno. Además, el fin de semana tengo que dedicarme a la casa, así que no encontraba el tiempo... Y los dolores seguían y, lo que es peor, los antiinflamatorios empezaron a hacerme daño en el estómago. Ahora me he apuntado a unas clases de pilates que me recomendó una amiga.

b) Alfonso

Antes jugaba al tenis al menos dos veces a la semana. Tengo un amigo con el que jugaba siempre. Teníamos ya nuestra rutina establecida: todos los martes y los jueves, después de trabajar, jugábamos un partido de una hora u hora y media. Luego nos duchábamos, venían nuestras mujeres a buscarnos y nos íbamos los cuatro a cenar a un pequeño restaurante. Pero un día él se hizo daño en una rodilla y tuvo que dejarlo. Ahora estoy buscando a alguien que quiera jugar conmigo, porque desde que lo dejé no me siento tan bien. Lo intenté con un entrenador profesional, pero es más aburrido. Prefiero a alguien que tenga mi mismo nivel.

c) Pilar

Cuando era joven, estaba muy preocupada por llevar una vida saludable. Mi padre falleció por problemas en el corazón y mi abuelo también. Gran parte de culpa la tuvo que comían de un modo bastante insano: mucha grasa, mucha sal, mucha cantidad... Así que yo me hice vegetariana, cada día practicaba yoga, los fines de semana iba al campo a caminar. Pero cuando me casé, mi marido no era vegetariano. ¡Al contrario! Lo que más le gustaba era un buen filete. Luego vinieron los niños... ¡y era tan difícil tener un menú para cada miembro de la familia! Mi marido decía que lo importante era comer equilibradamente y me convenció. Ahora sigo teniendo buenos hábitos, pero no de un modo tan obsesivo.

TAREA 4

A continuación va a leer un texto del que se han extraído seis fragmentos. Después, lea los ocho fragmentos, a)-h), y decida en qué lugar del texto, 19-24, va cada uno. Hay dos fragmentos que no tiene que elegir.

La adicción al tabaco: un problema de salud adolescente en México

La Organización Mundial de la Salud (OMS) celebra el Día Mundial sin Tabaco y el panorama de esta adicción en México revela cifras preocupantes sobre las tendencias de consumo: 14 millones de fumadores, de los cuales el 10 % tiene menos de 18 años.

Las razones por las que los adolescentes inician el consumo del tabaco son principalmente dos: curiosidad e influencia de familiares y amigos.

La primera vez que Fernando probó un cigarro tenía 13 años. 19. _____. Lo hizo porque era algo que todos sus amigos hacían y sentía curiosidad, pero a diferencia de sus compañeros, él no compraba cajetillas y en raras ocasiones consumía los cigarros a los que le invitaban sus amigos. A los 17 años, compró su primera cajetilla. 20. _____. Unos meses después ya fumaba más de ocho cigarros diarios.

Como el 27,3 % de los mexicanos menores de edad, Fernando estaba expuesto al humo liberado por cigarros en otros espacios. 21. _____.

Una de las mejores formas de prevenir la adicción a la nicotina entre adolescentes es precisamente mediante el ejemplo familiar, pues en los hogares de fumadores las probabilidades de que los menores inicien su consumo aumentan.

A pesar de que este tipo de adicción registra altos niveles en jóvenes, menos del 1 % de los casos son canalizados para su tratamiento. 22. _____. En México el tabaco es considerado por la población en general menos dañino que otras drogas como la marihuana, la cocaína y el alcohol. 23. _____. De los adultos que admiten haber consumido algún tipo de droga ilegal, como la heroína o cocaína, el 17 % dijo haber iniciado su consumo de tabaco en la adolescencia.

Hay niños y adultos jóvenes que con la primera bocanada de cigarro ya se hacen adictos, porque las moléculas de nicotina van directamente a los receptores de las neuronas. 24. _____.

En el 2008 se publicó la Ley General para el Control del Tabaco que prohíbe el consumo de cigarros en espacios cerrados. Sin embargo, organizaciones como Red México sin Tabaco consideran que el cumplimiento de estas disposiciones ha sido deficiente. No son necesarias más leyes al respecto, sino hacer que se cumplan.

Adaptado de www.mexico.cnn.com

FRAGMENTOS

a)

Este factor significó un notable aumento en su consumo de tabaco.

b)

Sin embargo, su consumo a temprana edad no solo produce enfermedades, sino que aumenta las probabilidades de probar otro tipo de drogas en el futuro.

c)

Pero también encontramos en distintos estados del país que no se tiene todavía la suficiente vigilancia para que estas leyes se cumplan.

d)

De este modo, se establece el ciclo de la tolerancia, adicción y abstinencia a la nicotina.

e)

No le gustó su sabor y en ese momento no podía imaginar que tres años después consumiría una cajetilla diaria.

f)

Esto se debe a la tolerancia que las sociedades tienen a esta adicción.

g)

Han pasado más de cuatro años desde que Fernando probó el tabaco por primera vez y muchas cosas han cambiado en su vida.

h)

Uno de ellos era su casa, donde su madre, padre y hermano consumen tabaco con regularidad.

TAREA 5

A continuación va a leer un mensaje de correo electrónico. Elija la opción correcta, a), b) o c), para completar los huecos, 25-30.

Sin título

Enviar ahora   Enviar más tarde   Insertar ▾   Categorías ▾

Para:

Asunto:

Fuente ▾   Tamaño ▾   N K S T

Hola, Pilar:

¿Qué tal todo? Me alegró mucho recibir tu correo después de tanto tiempo sin saber de ti.

Yo ahora estoy bastante bien, ____25____, el mes pasado tuve un problema en el estómago que me tuvo muy preocupada. No podía comer nada, todo me ____26____ mal. Consulté a dos o tres especialistas, me hicieron toda clase de pruebas y análisis, pero no daban con el problema. De verdad que estaba muy deprimida. Al final, decidí ir ____27____ un naturópata. Yo nunca ____28____ a un especialista en medicina natural porque era muy escéptica en ese tema, pensaba que era una tontería. Pero la verdad es que me dio un tratamiento que solucionó mi problema inmediatamente.

Sigo ____29____ algunas molestias, sobre todo por la noche, pero nada en comparación con lo de antes.

Quiero que se lo ____30____ a Tomás. Él siempre ha querido convencerme de lo buenos que son los remedios naturales y le gustará saber que por fin le he hecho caso.

Besos a todos y escríbeme pronto,
Laura

PREGUNTAS

25.	a) pues	b) sin embargo	c) así que
26.	a) sentía	b) encontraba	c) sentaba
27.	a) en	b) a	c) hasta
28.	a) había ido	b) he ido	c) iré
29.	a) a tener	b) teniendo	c) tengo
30.	a) cuentas	b) cuento	c) cuentes

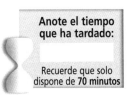

Anote el tiempo que ha tardado:

Recuerde que solo dispone de **70 minutos**

 PRUEBA 2 · Comprensión auditiva

 40 min Tiempo disponible para las 5 tareas.

TAREA 1

 CD II Pista 1

A continuación va a escuchar seis mensajes del buzón de voz de un teléfono. Oirá cada mensaje dos veces. Después, seleccione la opción correcta, a), b) o c), para cada pregunta, 1-6.
Dispone de 30 segundos para leer las preguntas.

PREGUNTAS

Mensaje 1
1. ¿Qué le pide Virginia a Marcos?
   a) Que no olvide comprar el periódico.
   b) Que le traiga fruta.
   c) Que le compre unas medicinas.

Mensaje 2
2. ¿Por qué es mejor el nuevo gimnasio?
   a) Porque no es tan pequeño como el suyo.
   b) Porque está más cerca que al que van ahora.
   c) Porque es más barato que en el que entrenan ahora.

Mensaje 3
3. ¿Adónde va a ir Toñi?
   a) Al médico.
   b) Al cine.
   c) Al trabajo.

Mensaje 4
4. ¿Para qué llama Juan a David?
   a) Para preguntarle cómo le va la rodilla.
   b) Porque no recuerda el nombre de un medicamento.
   c) Para invitarle a jugar al tenis.

Mensaje 5
5. ¿Qué quiere la asistente del doctor Inchausti?
   a) Cambiar la hora de la cita.
   b) Confirmar la cita.
   c) Anular la cita.

Mensaje 6
6. ¿Qué día llama Rodrigo?
   a) Un jueves.
   b) Un viernes.
   c) Un sábado.

CD II

Pista 2

5

TAREA 2

A continuación va a escuchar un fragmento del programa Un cambio de vida *en el que Amelia cuenta cómo cambió sus hábitos de vida después de tener un serio problema de salud. Lo oirá dos veces. Después seleccione la opción correcta, a), b) o c), para cada pregunta, 7-12.*
Dispone de 30 segundos para leer las preguntas.

PREGUNTAS

7. Amelia cuenta que cuando era niña:
   a) Ya tenía problemas de anemia.
   b) Comía de forma sana.
   c) Le gustaba comer.

8. En la grabación, Amelia se fue a Madrid:
   a) Por problemas con su familia.
   b) A fin de encontrar trabajo.
   c) Para estudiar.

9. Según el audio, Amelia empezó a comer mal:
   a) Cuando dejó de vivir con su familia.
   b) Por culpa de una de sus compañeras.
   c) Porque no le gustaba la fruta.

10. Según el audio, cuando llegaron los exámenes, Amelia:
    a) Se sentía cansada por el estrés.
    b) Notó los primeros síntomas de la enfermedad.
    c) No podía estudiar porque le dolía la cabeza.

11. Amelia dice que notó que tenía un problema:
    a) Cuando se lo dijeron sus amigas en la piscina.
    b) Porque no podía estudiar bien.
    c) Porque no podía hacer cosas que antes hacía.

12. En la grabación, Amelia cuenta que el tratamiento:
    a) Le hizo efecto inmediatamente.
    b) Solo consistía en medicación.
    c) Le hizo tener mejor aspecto.

CD II

Pista 3

TAREA 3

A continuación va a escuchar seis noticias de un programa radiofónico sobre Colombia. Lo oirá dos veces. Después, seleccione la respuesta correcta, a), b) o c), para las preguntas, 13-18.
Dispone de 30 segundos para leer las preguntas.

PREGUNTAS

Noticia 1

13. El pasado octubre:

    a) Se celebró un congreso de promoción al consumo de frutas y hortalizas.

    b) Se decidió el lugar de celebración de un congreso internacional.

    c) Se comunicó que en Colombia no se comen suficientes vegetales.

Noticia 2

14. En el *ranking* de hospitales y clínicas:

    a) Aparecen cuatro hospitales colombianos.

    b) Una institución colombiana está en el primer puesto.

    c) Un hospital colombiano ocupa el cuarto puesto.

Noticia 3

15. Según la Organización Mundial de la Salud, la inactividad es:

    a) Más grave en Colombia que en el resto de Latinoamérica.

    b) El primer factor de riesgo de muerte en el mundo.

    c) Un problema que probablemente va a crecer.

Noticia 4

16. El ministro de Comercio, Industria y Turismo colombiano ha dicho que:

    a) Muchos colombianos viajan al extranjero por motivos de salud.

    b) Cada vez más extranjeros eligen este país para recibir tratamiento médico.

    c) Muchos colombianos viajan a EE.UU., Panamá, México y España por turismo.

Noticia 5

17. La hemoglobinuria paroxística nocturna (HPN):

    a) Afecta a un millón de personas en Colombia.

    b) Tiene síntomas parecidos a los de otras enfermedades.

    c) No tiene solución.

Noticia 6

18. La Secretaría de Salud de Medellín:

    a) Ha pedido que solo se vacunen aquellos que viajen a ciertos lugares.

    b) Ha informado de que la falta de vacunas solo afecta a Colombia.

    c) Ha afirmado que hay un problema de fiebre amarilla en Colombia.

CD II
Pista 4

TAREA 4

A continuación va a escuchar a seis personas hablando sobre su salud. Oirá a cada persona dos veces. Después, seleccione el enunciado, a)-j), que corresponde al tema del que habla cada persona, 19-24. Hay diez enunciados (incluido el ejemplo), pero debe seleccionar solamente seis. Dispone de 20 segundos para leer los enunciados.

ENUNCIADOS

a) Sus problemas están motivados por su trabajo.
b) Antes llevaba una vida más sana que ahora.
c) Se siente ahora peor que cuando trabajaba.
d) Tuvo un problema de salud importante en su infancia.
e) Dejó de hacer gimnasia por problemas de horario.
f) Practica ejercicio físico dos veces a la semana.
g) *Tiene una salud excelente.*
h) Busca a alguien para hacer ejercicio físico.
i) Su problema es que come demasiado.
j) No hace ningún ejercicio físico.

	PERSONA	ENUNCIADO
	Persona 0	g)
19.	Persona 1	
20.	Persona 2	
21.	Persona 3	
22.	Persona 4	
23.	Persona 5	
24.	Persona 6	

CD II
Pista 5

TAREA 5

A continuación va a escuchar una conversación entre dos vecinos, Carlos y Loli. La oirá dos veces. Después, decida si los enunciados 25-30 se refieren a Carlos, a), Loli, b), o a ninguno de los dos, c). Dispone de 25 segundos para leer los enunciados.

	a) Carlos	b) Loli	c) Ninguno de los dos
0. Viene de hacer la compra.		✔	
25. Piensa que sus hijos comen mal.			
26. Ha tenido un problema de salud recientemente.			
27. Fue víctima de un error médico.			
28. Vive en el piso quinto.			
29. Se acuesta tarde.			
30. Piensa que hablar con los vecinos no servirá de nada.			

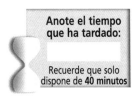

Anote el tiempo que ha tardado:

Recuerde que solo dispone de **40 minutos**

PRUEBA 3  Expresión e
interacción escritas

60
min

Tiempo disponible
para las 2 tareas.

TAREA 1

Usted ha recibido este mensaje de un amigo a través de facebook.

facebook

ha compartido un enlace. Hace aproximadamente una hora ✪

¿Qué tal estás? Hace mucho que no te escribo, pero es que he estado
muy ocupado con el trabajo y la familia.
Ayer me encontré con Juan y me dijo que has estado enfermo. Como
tenía mucha prisa no me explicó lo que te pasaba y me he quedado
preocupado. Espero que no sea nada grave y que ya estés bien pero, de
cualquier modo, escríbeme y cuéntame qué te ha pasado.
Un abrazo,
Jorge

Escriba un correo electrónico a Jorge (entre 100-120 palabras) en el que deberá:
- Saludar.
- Contar qué problema de salud ha tenido.
- Cómo lo ha solucionado.
- Cómo se siente ahora.
- Agradecerle su preocupación.
- Despedirse.

TAREA 2

Lea el siguiente comentario en una revista.

Hola a todos. El próximo año me jubilo y aunque por una parte
estoy deseando ser libre y tener todo mi tiempo para mí, por
otra, tengo miedo de no saber qué hacer con mi tiempo. Toda
mi vida la he dedicado a mi trabajo, ¿qué voy a hacer a partir
de ahora?

Escriba un breve texto (entre 130-150 palabras) en esta revista contando:
- Qué opina de la situación de esta persona.
- Cómo se siente usted ante la idea de la jubilación.
- Qué planes tiene para cuando se jubile.
- Qué le aconseja.
- Qué le desea para el futuro.

**Anote el tiempo
que ha tardado:**

Recuerde que solo
dispone de **60 minutos**

Apuntes de gramática

- Para hablar de sensaciones físicas, usamos:
  - *Tener* + sustantivo. *Tengo fiebre.*
  - *Estar* + adjetivo. *Estoy cansado.*
  - *Sentir* + sustantivo. *Siento calor.*
  - *Me duele* + parte del cuerpo. *Me duele el estómago.*
  - *Estar/Sentirse/Encontrarse* + adverbio. *Me encuentro mal.*
- Expresamos la impersonalidad con *se*. *Se busca persona amable.*
- Para valorar una experiencia, usamos:
  - *Ser* (en presente o pasado) + adjetivo. *Fue una experiencia horrible.*
  - *Parecer* (en presente o pasado) + adjetivo. *Me parecía un buen remedio.*
  - *Ser* (en presente/pasado) + *un buen/mal* + sustantivo. *Es un buen paciente.*
  - *¡Qué* + adjetivo/adverbio! *¡Qué bien!*

Aconsejar

- *Duerme más horas y no comas mucho.*
- *Debes/Tienes que caminar más.*
- *Lo mejor es que vayas andando a trabajar.*
- *Es importante/preferible que vayas al médico.*
- *Te aconsejo que/Te recomiendo que no hagas eso.*
- *Yo que tú cambiaría de hábitos.*
- *Yo no haría eso.*
- *Yo en tu lugar nadaría más.*

Expresar agradecimiento

- *Gracias por todo.*
- *Gracias por tu interés.*

Hablar del futuro

- *Cuando tenga tiempo, me daré un masaje.*
- *Si haces ejercicio, te sentirás mejor.*

Hablar de la salud

- *Encontrarse bien/mal/fatal/regular.*
- *Sentirse bien/mal/fatal/regular.*
- *Ponerse enfermo/malo/bien.*

Formular buenos deseos

- *Que tengas suerte.*
- *Espero que se investigue más.*
- *Ojalá descubran nuevos medicamentos.*

Opinar

- *Creo que (no) estoy bien.*
- *Pienso que (no) es buen médico.*
- *Me parece que (no) está bien.*
- *Para mí el deporte es importante.*
- *No creo que sea bueno no desayunar.*
- *No pienso que haga mucho ejercicio.*
- *No me parece que se alimente bien.*

Preparación Diploma de Español (Nivel B1)

PRUEBA 4 — Expresión e interacción orales

15 min — Tiempo disponible para preparar las tareas 1 y 2.

15 min — Tiempo disponible para realizar las 4 tareas.

TAREA 1

EXPOSICIÓN DE UN TEMA

Tiene que hablar durante 2 o 3 minutos sobre este tema.

Hable de **si lleva una vida sana y en qué aspectos cree que debería mejorar.**

Incluya la siguiente información:
- Si le preocupa mucho el tema de la salud y la vida sana.
- Si cree que tiene una buena salud en general.
- Si ha tenido algún problema de salud serio en el pasado.
- Qué hay que hacer para llevar una vida sana.
- Qué aspectos cree que debería mejorar.

No olvide:
- Diferenciar las partes de su exposición: introducción, desarrollo y conclusión.
- Ordenar y relacionar bien las ideas.
- Justificar sus opiniones y sentimientos.

TAREA 2

CONVERSACIÓN CON EL ENTREVISTADOR

Después de terminar la exposición de la Tarea 1, deberá mantener una conversación con el entrevistador sobre el mismo tema.

Ejemplos de preguntas
- ¿Cree que en el mundo actual se vive de una manera sana?
- ¿Qué factores afectan más a la salud, según su opinión?
- ¿Considera que el sistema sanitario en su país es bueno?
- En su país, ¿cuáles cree que son las enfermedades que afectan a más personas?
- ¿Hay algún problema de salud en su familia?

TAREA 3

DESCRIPCIÓN DE UNA FOTO

Observe detenidamente esta foto.

Describa detalladamente (1 o 2 minutos) lo que ve y lo que imagina que está pasando. Puede comentar, entre otros, estos aspectos:
- Quiénes son y qué relación tienen.
- Qué están haciendo.
- Dónde están.
- Qué hay.
- De qué están hablando.

A continuación, el entrevistador le hará unas preguntas (2 o 3 minutos).

Ejemplos de preguntas
- ¿Va usted mucho al médico? ¿Le pone nervioso ir a la consulta?
- ¿Por qué fue al médico la última vez?
- ¿Ha ido a algún especialista últimamente?
- ¿Qué recomendaciones le dio?

TAREA 4

SITUACIÓN SIMULADA

Usted va a conversar con el entrevistador en una situación simulada (2 o 3 minutos).

Usted se siente mal desde hace unos días y ha decidido ir al médico. Imagine que el entrevistador es el médico, hable con él de los siguientes temas:
- Explíquele qué le pasa y desde cuándo.
- Explique con detalle cómo se siente.
- Dígale si ha tenido este mismo problema antes.
- Dígale que la medicina que le recomienda no le viene bien y por qué.
- Pregúntele cuándo debe volver a la consulta.

Ejemplos de preguntas
- Buenos días. Cuénteme qué le pasa.
- ¿Desde cuándo tiene usted este problema?
- ¿Se siente usted peor cuando se levanta o por las noches?

VIAJES, NATURALEZA Y MEDIO AMBIENTE

Te recomendamos este útil y práctico material para ampliar el vocabulario de español.

VOCABULARIO

MEDIOS DE TRANSPORTE

Cinturón (el) ....
Crucero (el) ....
Escala (la) ....
Fila (la) ....
Maletero (el) ....
Mostrador de facturación (el) ....
Pasillo (el) ....
Pista (la) ....
Puerta de embarque (la) ....
Punto de encuentro (el) ....
Sala de embarque (la) ....
Sala de llegadas (la) ....
Tarjeta de embarque (la) ....
Terminal (la) ....
Vagón (el) ....
Ventanilla (la) ....

PERSONAS

Conserje (el) ....
Guía (el, la) ....
Recepcionista (el, la) ....
Viajero/a (el, la) ....

ALOJAMIENTOS

Alojamiento y desayuno (AD) ....
Casa rural (la) ....
Hostal (el) ....
Instalaciones para discapacitados (las) ....
Media pensión (MP) ....
Pensión (la) ....
Pensión completa (PC) ....
Servicio de habitaciones (el) ....
Tienda de campaña (la) ....

VARIOS

Billete de ida y vuelta (el) ....
Bolsa de aseo/de viaje/de mano (la) ....
DNI (Documento Nacional de Identidad) (el) ....
Equipaje (el) ....
Exceso de equipaje (el) ....
Mapa de carreteras (el) ....
Paisaje (el) ....
Plano turístico (el) ....
Reserva (la) ....
Saco de dormir (el) ....
Selva (la) ....
Visado (el) ....
Vista panorámica (la) ....

VERBOS

Aburrirse ....
Anular/Cancelar ....
Aterrizar ....
Despegar ....
Divertirse ....
Facturar ....
Haber caravana/plazas libres ....
Hacer escala ....
Ir de *camping* ....
Navegar ....
Pasárselo bien/mal ....
Perder las maletas/el tren ....
Recoger el equipaje ....

TIEMPO ATMOSFÉRICO

Clima húmedo/seco (el) ....
Despejado ....
Lluvioso ....
Nublado ....
Soleado ....
Granizo (el) ....
Huracán (el) ....
Tormenta (la) ....

NATURALEZA Y MEDIO AMBIENTE

Agujero de la capa de ozono (el) ....
Cambio climático (el) ....
Capa de ozono (la) ....
Contaminación (la) ....
Contenedor de reciclaje (el) ....
Ecología (la) ....
Energías alternativas (las) ....
Parques naturales (los) ....
Polución (la) ....
Recursos naturales (los) ....

VERBOS

Colaborar como voluntario ....
Conservar ....
Contaminar ....
Proteger ....
Reciclar ....

70 min
Tiempo disponible para las 5 tareas.

TAREA 1

A continuación va a leer seis textos en los que unas personas hablan sobre sus planes para las vacaciones y unos textos que informan sobre lugares de veraneo. Relacione a las personas, 1-6, con los textos que informan sobre los lugares, a)-j). Hay tres textos que no debe relacionar.

PREGUNTAS

	PERSONA	TEXTO
0.	VICTORIA	c)
1.	EDUARDO	
2.	NELA	
3.	ANTONIO	
4.	ALICIA	
5.	PEDRO	
6.	MARIAN	

0. VICTORIA	Queremos ir al mar, pero tenemos un bebé de pocos meses y eso nos condiciona: hay que prepararle su comida y tiene que dormir a sus horas.
1. EDUARDO	Todos los años pasamos el verano en el mar, pero este año me apetece hacer turismo cultural. Mis hijos ya son suficientemente mayores como para disfrutar de este tipo de viaje.
2. NELA	Mi marido y los niños quieren ir a la costa, pero este año hemos tenido muchos gastos, porque hemos hecho obras en casa, y necesitamos encontrar algo realmente barato.
3. ANTONIO	Un grupo de amigos de la facultad y yo vamos a pasar juntos estas vacaciones. La verdad es que los monumentos y museos nos interesan poco. Queremos un lugar que tenga vida nocturna.
4. ALICIA	Tengo tres hijos pequeños y dos perros, con los que vamos a todas partes. Me paso el día cocinando y limpiando. Lo que quiero es descansar, relajarme y no hacer nada...
5. PEDRO	Yo vivo en la ciudad todo el año, sufriendo el ruido y los atascos. No quiero playas llenas de gente ni lugares demasiado turísticos, sino disfrutar de la naturaleza y del aire libre con mi mujer y mis hijos.
6. MARIAN	Normalmente paso las vacaciones con mis padres, pero este año, mi novio y yo, que somos muy aficionados a los deportes acuáticos, hemos decidido hacer algo juntos.

| todos | montaña | costa | menos ▼ |

LUGARES DE VERANEO

a) *CAMPING* **LA HERRADURA.** *Camping* de ambiente familiar, ubicado cerca de una bonita playa famosa por la tranquilidad de sus aguas, muy segura para niños. Buen punto de partida para visitar otras playas y los diferentes atractivos turísticos de la región. A cinco minutos en coche del centro urbano y cerca de los centros comerciales. Precios muy económicos.

b) **CORTIJO LA HUERTA.** Casa rural independiente con más de un siglo de antigüedad, rehabilitada. Con capacidad hasta para seis personas. Tiene tres dormitorios, cocina equipada, salón con chimenea, habitaciones con baño y jardín con barbacoa y piscina. Junto a un río y un bosque de olivos y almendros, a 100 m del pueblo.

c) **APARTOTEL ISLA BONITA.** A quince minutos del centro de la ciudad y a cinco de la playa. Cincuenta suites de uno, dos o tres dormitorios con aire acondicionado, acceso a Wi-Fi y televisión por cable. Cocina completamente equipada y baño con *jacuzzi*. Siéntete como en casa, disfrutando al mismo tiempo de los servicios de un hotel.

d) **HOTEL AEROPUERTO.** Pensado para hombres y mujeres de negocios que buscan tranquilidad y comunicación directa con el centro de la ciudad. Dotado con siete salas para reuniones y convenciones elegantemente decoradas y con luz natural. Con capacidad para 300 personas máximo. Ofrece acceso Wi-Fi a Internet y material de escritorio gratis (material audiovisual bajo petición).

e) **HOTEL ESTRELLA DE MAR.** Disfrute de todo el lujo y la comodidad de nuestro hotel de cinco estrellas. Disponemos de zona deportiva con piscina vigilada, spa y gimnasio. Ofrecemos una amplia variedad de actividades para niños que los mantendrán entretenidos mientras usted se relaja. Admitimos animales de compañía.

f) **HOTEL GUADALIMAR.** Situado en la colina sobre la que se asienta la Alhambra. Estupenda comunicación con el centro histórico de la ciudad y con el célebre barrio árabe del Albaicín mediante un minibús directo. Disfrutará de las ventajas de estar junto al centro de la ciudad, junto a la tranquilidad que se respira en la colina de la Alhambra.

g) **HOTEL A VISTA DE PÁJARO.** El sueño más antiguo del hombre es volar y la forma más natural es en ala delta o parapente. Nuestro hotel, situado en la sierra de la Alpujarra, cuenta con una escuela de estas dos técnicas con monitores de amplia experiencia. Disfruta de uno de los paisajes más hermosos del mundo a vista de pájaro.

h) *BUNGALOWS* **LOS CORALES.** Descubra nuevos lugares para disfrutar de las maravillas del mundo submarino. Situados en zonas de aguas cristalinas con arrecifes de coral, nuestros alojamientos disponen de centros de formación propios de buceo y pesca submarina sea cual sea su nivel (principiante o experto). No deje de visitar nuestra web: www.subloscorales.com.

i) **HOTEL JARDÍN DE LAS DELICIAS.** Un lugar perfecto para disfrutar de unas animadas vacaciones. Ideal para quienes buscan diversión. Muy cerca de numerosas discotecas y salas de fiesta de la ciudad. Interesantes ofertas si se reserva con más de un mes de antelación (consulte política de cancelaciones).

j) **HOTEL LA FLOR.** Situado justo en el paseo marítimo. Este famoso hotel ha sido recientemente renovado. Cerca de discotecas y tiendas. Con un amplio programa deportivo y de entretenimiento para todas las edades. Venga a relajarse en nuestro hotel, admirando las hermosas puestas de sol desde la ventana de su habitación. Precios especiales para familias. (No se admiten animales).

TAREA 2

A continuación hay un texto con consejos para quienes van a viajar con perros. Después de leerlo, elija la respuesta correcta, a), b) o c), para las preguntas, 7-12.

SI VAS A VIAJAR CON TU PERRO

Si piensas viajar con tu perro por carretera, aquí tienes unos consejos que pueden serte útiles:

En primer lugar, si quieres que tu perro se comporte bien en un viaje, sobre todo si es largo, es indispensable que tenga buena salud. Llévalo al veterinario antes de salir y asegúrate de que tiene todas las vacunas que pueda necesitar. Si aún no lo has hecho, es buen momento para colocarle un chip localizador, ya que estará en lugares que no conoce y podría perderse.

Dependiendo de adónde te dirijas, tu mascota puede necesitar un montón de cosas que luego quizá no sean fáciles de conseguir. Asegúrate de llevar alimentos suficientes para el viaje completo. Ayudará también que tenga un juguete para que no se aburra demasiado en las largas jornadas de coche. Si no tienes una caja de transporte, no es mala idea comprar una, pues es importante que viaje seguro. No está de más comprar de paso un buen lote de productos antiparasitarios.

Por un lado, prepara una zona cómoda para tu perro, ya que estará expuesto a nuevos lugares, personas y experiencias durante el viaje. Por eso, crear en el coche un lugar donde se sienta seguro, solo para él, le ayudará. Lógicamente, cuanto mayor sea tu coche, más fácil será hacerlo. Asegúrate, además, de que hay espacio suficiente para él y no llenes el coche de cosas innecesarias.

Si viajas al extranjero, considera que las regulaciones en cuanto a vacunas pueden ser muy diferentes en un país u otro. Esta información puedes encontrarla fácilmente en Internet, donde también encontrarás muchos datos de interés, como por ejemplo, qué hoteles admiten mascotas. Entérate antes de reservar porque puede haber desagrabables sorpresas.

Por otro lado, piensa que un perro estresado es difícil de controlar, así que procura que no se ponga nervioso. Si va en la parte de atrás, desconecta los altavoces allí, porque los sonidos le afectan mucho más que a los humanos. Conduce con cuidado: frenazos, acelerones y el sonido del claxon le sientan fatal.

Otra cosa que ayuda mucho en estas circustancias es mantener una rutina, aunque sea difícil en un viaje, porque si para los humanos es necesario, para un perro es fundamental: aliméntalo a las mismas horas y procura que pasee al menos un cuarto de hora cada mañana. Detente en las áreas de descanso y corre o juega un poco con él, pues le ayudará a estar más calmado durante el viaje. De esta forma se adaptará con mucha más facilidad a la vida en la carretera.

Por último, premia a tu perro. Los perros quieren saber cuándo lo están haciendo bien, así que felicitándolo y con una pequeña recompensa continuará comportándose así.

Adaptado de www.noticias.coches.com

PREGUNTAS

7. Según el texto, en relación a los perros:
   a) Los viajes en coche les afectan a la salud.
   b) Hay que vacunarlos antes de viajar.
   c) Es importante comprobar que están sanos antes de viajar.

8. En el texto se afirma que antes de viajar hay que:
   a) Elegir el destino pensando que viajas con tu perro.
   b) Comprar aquello que sea difícil de encontrar.
   c) Alimentar muy bien al perro.

9. Según el texto:
   a) Solo se debe viajar con perros en coches grandes.
   b) Es mejor no llevar demasiado equipaje.
   c) Viajar con perros en el coche es peligroso.

10. El texto afirma que:
    a) Algunos alojamientos no admiten perros.
    b) Hay países donde no se puede ir con perros.
    c) Es mejor reservar el hotel por Internet.

11. Según el texto:
    a) No se debe poner la radio durante el viaje.
    b) Los ruidos ponen nerviosos a los perros.
    c) El conductor debe evitar ponerse nervioso.

12. En el texto se afirma que:
    a) Hay que parar como poco quince minutos en zonas de descanso.
    b) Los perros se adaptan fácilmente al viaje por carretera.
    c) Es importante que el perro haga ejercicio a diario.

Preparación Diploma de Español (Nivel B1)

TAREA 3

*A continuación va a leer tres textos en los que tres personas hablan sobre sus últimas vacaciones.
Después, relacione las preguntas, 13-18, con los textos, a), b) o c).*

PREGUNTAS

	a) Ernesto	b) Gloria	c) Miguel
13. ¿Quién ha pasado muchas veces las vacaciones en el extranjero?			
14. ¿Qué persona piensa volver al mismo lugar?			
15. ¿Qué persona ha alquilado un piso?			
16. ¿Quién veranea siempre en el mismo lugar?			
17. ¿Qué persona tuvo mal tiempo?			
18. ¿Quién tuvo que cambiar de planes?			

a) Ernesto

Mi mujer y yo somos del sur y en verano solemos viajar allí para ver a nuestras familias, pero durante las pasadas vacaciones decidimos hacer algo diferente y nos fuimos a Cantabria. Nunca antes habíamos estado en el norte de España y nos encantó. La naturaleza allí es espectacular. ¡Y la comida! Además, tuvimos mucha suerte con el hotel. Estaba muy bien situado, en pleno centro de Santander, que es una ciudad realmente preciosa. Luego aprovechamos para hacer algunas excursiones a Santillana del Mar, Comillas... El único inconveniente fue la lluvia, llovió casi todos los días, pero, realmente, pensamos repetir el próximo año.

b) Gloria

Nosotros, como cada año, fuimos a la playa, concretamente a Isla Cristina, donde mi hermana tiene un apartamento al lado del mar y nos lo suele prestar. Así nos sale muy económico. Además, el pueblo es muy agradable y los niños tienen amigos y lo pasan muy bien. Este año, decidimos hacer algo especial y pasar unos días en Portugal. Nuestra idea era estar allí al menos una semana y conocer bien el Algarve, pero mi marido se rompió una pierna dos días antes y no pudimos viajar. A ver si el año que viene tenemos más suerte, porque me han dicho que el sur de Portugal es precioso.

c) Miguel

Normalmente en vacaciones viajamos fuera. El año pasado, por ejemplo, pasamos diez días en Turquía y el anterior, una semana maravillosa en las islas griegas. Pero este año hemos decidido ahorrar y hemos reservado un pequeño apartamento en una playa de Granada. La verdad es que la experiencia nos ha salido muy bien: ha sido mucho más barato y hemos podido estar un mes completo. Además, ha sido mucho más relajante. Cada mañana íbamos a la playa, luego volvíamos a casa a comer o tomábamos algo en uno de los restaurantes del paseo marítimo. Después, dormíamos la siesta y, por la tarde, a la playa otra vez. Ahora siento que realmente he descansado.

TAREA 4

A continuación va a leer un texto del que se han extraído seis fragmentos. Después, lea los ocho fragmentos, a)-h), y decida en qué lugar del texto, 19-24, va cada uno. Hay dos fragmentos que no tiene que elegir.

¿QUÉ ES EL CALENTAMIENTO GLOBAL?

El término *calentamiento global* se refiere al aumento gradual de las temperaturas de la atmósfera y océanos de La Tierra que se ha detectado en la actualidad, además de su continuo aumento que se proyecta en el futuro.

El término, a veces, se refiere específicamente al cambio climático causado por la actividad humana, a diferencia del causado por procesos naturales de La Tierra y el sistema solar. **19.** _____.

Si se revisa el gráfico de las temperaturas de la superficie terrestre de los últimos cien años, se observa un aumento de aproximadamente 0,8 °C, y que la mayor parte de este aumento se ha producido durante los últimos treinta años. **20.** _____. Pero la mayor parte de la comunidad científica asegura que este aumento se debe a la concentración de gases invernadero por las actividades humanas que incluyen deforestación y la quema de combustibles fósiles como el petróleo y el carbón. **21.** _____.

Los estudios del IPCC (Panel Intergubernamental sobre Cambio Climático) indican que la temperatura global probablemente seguirá aumentando durante el siglo XXI. Un aumento de la temperatura global resultará en cambios que ya se están observando a nivel mundial. **22.** _____.

Entre las consecuencias predecibles, se observará un retroceso de los glaciares, disminución de los hielos permanentes y subida de nivel de los mares. **23.** _____.
También se esperan extinciones de especies debido a los cambios de temperatura y variaciones en el rendimiento de las cosechas.

Se piensa que si el aumento de la temperatura promedio global es mayor a 4 °C, en muchas partes del mundo los sistemas naturales no podrán adaptarse y, por lo tanto, no podrán sustentar a sus poblaciones circundantes. **24.** _____.

Los científicos mundiales han determinado que el aumento de la temperatura debiera de limitarse a 2 °C para evitar daños irreversibles al planeta y los consiguientes efectos desastrosos en la sociedad humana. Para lograr evitar este cambio irreversible y sus efectos, las emisiones de gases invernaderos debieran bajar progresivamente hasta alcanzar una disminución del 50 % para el año 2050.

Adaptado de www.cambioclimaticoglobal.com

FRAGMENTOS

a)

Estas conclusiones son avaladas por las academias de ciencia de la mayor parte de los países industrializados.

b)

Otros efectos incluirían clima extremo más frecuente, con sequías, olas de calor y fuertes lluvias.

c)

El aumento de la temperatura se espera que sea mayor en los polos, en especial en el Ártico.

d)

En este sentido, el término *cambio climático* es sinónimo de *calentamiento global antropogénico*, o sea, creado por el hombre.

e)

En pocas palabras, no habrá recursos naturales para mantener la vida humana.

f)

Dichos cambios incluyen el aumento de los niveles del mar, los cambios en el patrón y cantidad de lluvias y expansión de los desiertos subtropicales.

g)

Otra posible solución sería la potenciación del uso de energías limpias, tales como la solar y la eólica.

h)

Nadie pone en duda este aumento de la temperatura global, lo que todavía genera controversia es su causa.

TAREA 5

A continuación va a leer una tarjeta postal. Elija la opción correcta, a), b) o c), para completar los huecos, 25-30.

Querida Merche:

Te escribo desde Lima, donde estoy pasando una temporada con unos tíos que viven aquí. Mis primos son muy amables y me llevan ____25____ todas partes. Durante el día visitamos la ciudad y por la noche salimos con sus amigos.

Es la primera vez que vengo a esta maravillosa ciudad y me encanta. Tiene mucho ambiente y los peruanos son gente ____26____ sociable y acogedora.

____27____ aquí hace una semana y ya he visto el centro histórico, la plaza mayor, la catedral y otras muchas cosas interesantes que hay por aquí.

Además, estoy teniendo mucha suerte con el tiempo: no ____28____ mucho calor, aunque me han dicho que en esta época Lima suele ser muy calurosa.

El próximo fin de semana, a lo mejor ____29____ a Cuzco, la «capital arqueológica de América» y luego a Machu Picchu. ¡Qué ganas tengo de visitarlo!

Creo que voy a quedarme aquí hasta mediados de septiembre. ¿Por qué no vienes? ____30____ podemos pasar muy bien juntas y te puedo llevar a todos los lugares bonitos que conozco.

Muchos besos, Angelines

PREGUNTAS

25.	a) en	b) para	c) a
26.	a) tanto	b) muy	c) mucho
27.	a) Llegaba	b) Había llegado	c) Llegué
28.	a) es	b) hace	c) está
29.	a) vamos	b) vayamos	c) iremos
30.	a) Lo	b) Le	c) Nos

Anote el tiempo que ha tardado:

Recuerde que solo dispone de **70 minutos**

PRUEBA 2 — Comprensión auditiva

40 min — Tiempo disponible para las 5 tareas.

TAREA 1

A continuación va a escuchar seis anuncios breves de la radio. Oirá cada mensaje dos veces. Después, seleccione la opción correcta, a), b) o c), para cada pregunta, 1-6.
Dispone de 30 segundos para leer las preguntas.

PREGUNTAS

Anuncio 1
1. ¿Cómo se hace la inscripción?
   a) A través de la página web del club.
   b) Directamente en el club.
   c) En el Centro Medioambiental.

Anuncio 2
2. ¿Qué se puede encontrar en la tienda *on-line*?
   a) Maletas por cincuenta euros.
   b) Productos rebajados.
   c) Modelos más nuevos.

Anuncio 3
3. ¿A qué se dedica Ecomoda Solidaria?
   a) A vender ropa de segunda mano.
   b) A dar ropa a la gente con dificultades.
   c) A diseñar ropa de moda.

Anuncio 4
4. ¿Qué ventaja tiene esta edición respecto a la anterior?
   a) Está ordenada alfabéticamente.
   b) Tiene ilustraciones en color.
   c) Se incluyen más pueblos.

Anuncio 5
5. ¿Qué dice esta noticia de Iberia Express?
   a) Que no viajará a destinos nacionales.
   b) Que lleva dos años trabajando.
   c) Que ofrece billetes de diferentes precios.

Anuncio 6
6. ¿Qué ha hecho el Cabildo de Tenerife?
   a) Dar unos consejos a los ciudadanos ante el mal tiempo.
   b) Informar a la Agencia de Meteorología de una situación de peligro.
   c) Retirar los objetos que pueden ser arrastrados por el viento.

TAREA 2

A continuación va a escuchar un fragmento del programa Otras formas de viajar *en el que Leo nos habla de su experiencia en el intercambio de casas. Lo oirá dos veces. Después, seleccione la opción correcta, a), b) o c), para cada pregunta, 7-12.*
Dispone de 30 segundos para leer las preguntas.

PREGUNTAS

7. Según la grabación, Leo decidió hacer intercambio de casas:
   a) Porque lo leyó en una página web.
   b) Por recomendación de un familiar.
   c) Porque su mujer quería.

8. Según la grabación, al hacer un intercambio:
   a) No se puede fumar ni tener animales.
   b) Algunas condiciones son muy difíciles.
   c) Cada persona pone las condiciones que quiere.

9. Para Leo, la gran ventaja de los intercambios es que:
   a) Uno se siente como en casa.
   b) Es bastante más económico.
   c) Es más caro, pero más cómodo.

10. Leo dice en la grabación que es aconsejable:
    a) Hacer un seguro de la casa.
    b) Intercambiar la casa con amigos.
    c) Contactar antes con las otras personas.

11. Leo dice que antes de viajar:
    a) Hay que preguntar por las tiendas cercanas.
    b) Es importante dejar claras algunas cosas.
    c) Conviene preguntar si hay armarios suficientes.

12. En la grabación, Leo afirma que
    a) Él nunca hace intercambio de coche.
    b) Una vez tuvo un accidente de coche.
    c) Es buena idea intercambiar también el coche.

CD II

Pista 8

TAREA 3

A continuación va a escuchar seis noticias de un programa radiofónico argentino. Lo oirá dos veces. Después, seleccione la respuesta correcta, a), b) o c), para las preguntas, 13-18.
Dispone de 30 segundos para leer las preguntas.

PREGUNTAS

Noticia 1
13. El ministro de Desarrollo ha ido a Neuquén porque:
  a) Su intención es pasar allí el verano.
  b) Tiene un plan para mejorar los servicios.
  c) Quiere aumentar el turismo en esa ciudad.

Noticia 2
14. Villa La Angostura ha sido elegida como el más bello destino turístico:
  a) Por el diario *La Nación*.
  b) A través de una página web.
  c) Por los ciudadanos argentinos.

Noticia 3
15. La empresa Energía Argentina Sociedad Anónima:
  a) Lleva un año investigando dónde instalar unos generadores eólicos.
  b) Ha construido un parque eólico en Neuquén.
  c) Hace un año compró tierras para instalar un parque eólico.

Noticia 4
16. Las personas que iban a utilizar el aeropuerto Presidente Perón:
  a) Tendrán que trasladarse ahora por tierra.
  b) Usarán el aeropuerto Chapelco temporalmente.
  c) Viajarán gratis, si lo solicitan con tiempo suficiente.

Noticia 5
17. El ministro de Economía y Obras Públicas:
  a) Ha anunciado la construcción de un nuevo balneario.
  b) Planea crear balnearios en distintas ciudades de la provincia.
  c) Ha presentado un plan de mejoras del balneario Río Grande.

Noticia 6
18. La Global Sustainable Electricity Partnership:
  a) Está trabajando actualmente en dos proyectos.
  b) Ha terminado ya su proyecto en Cochico.
  c) Está trabajando muy lentamente.

CD II

Pista 9

TAREA 4

A continuación va a escuchar a seis personas hablando sobre su último viaje. Oirá a cada persona dos veces. Después, seleccione el enunciado, a)-j), que corresponde al tema del que habla cada persona, 19-24. Hay diez enunciados (incluido el ejemplo), pero debe seleccionar solamente seis.
Dispone de 20 segundos para leer los enunciados.

ENUNCIADOS

a) Acaba de volver.
b) No lo pasó nada bien.
c) Hizo mal tiempo.
d) *Fue un viaje de negocios.*
e) Se alojó en un hotel no muy bueno.
f) Lo pasó mejor de lo que esperaba.
g) Se quedó en la casa de unos familiares.
h) Lleva mucho tiempo sin viajar.
i) Se cansó mucho.
j) Fue su viaje de luna de miel.

	PERSONA	ENUNCIADO
	Persona 0	d)
19.	Persona 1	
20.	Persona 2	
21.	Persona 3	
22.	Persona 4	
23.	Persona 5	
24.	Persona 6	

CD II

Pista 10

TAREA 5

A continuación va a escuchar una conversación entre dos amigos, Elvira y Ramón. La oirá dos veces. Después, decida si los enunciados, 25-30, se refieren a Elvira, a), Ramón, b), o a ninguno de los dos, c).
Dispone de 25 segundos para leer los enunciados.

	a) Elvira	b) Ramón	c) Ninguno de los dos
0. No le gusta reciclar.			✓
25. Está en la pausa del trabajo.			
26. No le da miedo comprar a través de Internet.			
27. Nunca ha estado en México.			
28. Tiene que ir de compras.			
29. Tiene que hacer la compra.			
30. Va a cenar a casa de unos amigos.			

Anote el tiempo que ha tardado:

Recuerde que solo dispone de **40 minutos**

PRUEBA 3 — Expresión e interacción escritas

60 min

Tiempo disponible para las 2 tareas.

TAREA 1

Usted ha recibido este mensaje de un amigo.

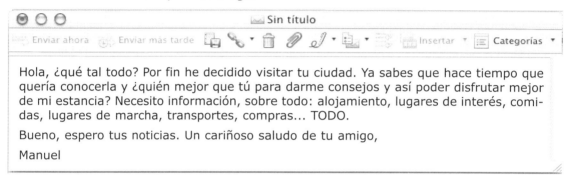

> ⊖ ○ ○   ✉ Sin título
>
> Enviar ahora   Enviar más tarde   ▾ 🗑 📎 ▾ ▾ Insertar ▾ ☰ Categorías ▾
>
> Hola, ¿qué tal todo? Por fin he decidido visitar tu ciudad. Ya sabes que hace tiempo que quería conocerla y ¿quién mejor que tú para darme consejos y así poder disfrutar mejor de mi estancia? Necesito información, sobre todo: alojamiento, lugares de interés, comidas, lugares de marcha, transportes, compras... TODO.
>
> Bueno, espero tus noticias. Un cariñoso saludo de tu amigo,
>
> Manuel

Escriba un correo electrónico a Manuel (entre 100-120 palabras) en el que deberá:
- Saludar.
- Expresarle su alegría por la elección de su destino de vacaciones.
- Aconsejarle sobre todos los temas que le pregunta.
- Advertirle sobre algunas costumbres sociales curiosas de su ciudad o sobre algunos peligros.
- Ofrecerle su ayuda con algunos temas.
- Despedirse.

TAREA 2

Lea la siguiente nota que le ha dejado su amigo.

> Hola, acabo de volver de mi viaje y ha sido inolvidable. Inolvidable, sí, pero no porque haya sido maravilloso, sino todo lo contrario: ¡Ha sido el peor viaje de mi vida! ¿Has tenido un viaje así, en el que parece que todo se pone en contra? ¡Todo lo que podía haber ido mal ha ido mal! ¡Un horror!

Escriba su experiencia (entre 130-150 palabras) contando:
- Cuál fue el peor viaje de su vida.
- En qué lugar pasó.
- Por qué había decidido ir allí.
- Qué le pasó.
- Sus sentimientos ante situaciones como esa.

Anote el tiempo que ha tardado:

Recuerde que solo dispone de **60 minutos**

Apuntes de gramática

- Usamos el pretérito perfecto compuesto para:
  - Hablar de cosas sucedidas en un tiempo pasado no acabado o cercano al presente: *He vuelto esta mañana.*
  - Hablar de cosas sucedidas en el pasado sin indicar cuándo: *He estado en un* camping.
  - Suele ir con *hoy, esta mañana/semana, este mes/año*, etc.
- Usamos el pretérito imperfecto para:
  - Describir en el pasado: *El desayuno era fantástico.*
  - Hablar de hábitos en el pasado: *Todas las mañanas íbamos a caminar.*
  - Hablar de las circunstancias en que sucede una acción: *No pude visitar el museo porque estaba cerrado.*
  - Suele ir con *antes, todos los días/meses/años/en aquella época*, etc.
- Usamos el pretérito perfecto simple (o indefinido) para:
  - Hablar de cosas sucedidas en un tiempo pasado acabado: *Viajé el mes pasado. Viajé hace un mes.*
  - Suele ir con *ayer, anteayer, anoche, el otro día, la semana pasada, el mes/año pasado, hace... días/meses/años.*

Expresar alegría
- *Me alegra saber que has decidido venir.*
- *Me alegra que hayas tomado esa decisión.*
- *¡Qué bien que hayas comprado el billete!*

Advertir
- *Te advierto que no debes salir de noche solo.*
- *Es mejor que no salgas ahora.*

Ofrecer ayuda
- *¿Quieres que te ayude?*
- *¿Te interesa que te eche una mano?*

Quejarse y protestar
- *Es indignante que haya tanta suciedad.*
- *Es increíble que haga sol todos los días.*
- *No hay derecho a que nos atiendan así.*

Añadir ideas
- *Además…*
- *También…*

PRUEBA 4  # Expresión e interacción orales

15 min — Tiempo disponible para preparar las tareas 1 y 2.

15 min — Tiempo disponible para realizar las 4 tareas.

TAREA 1

EXPOSICION DE UN TEMA

Tiene que hablar durante 2 o 3 minutos sobre este tema.

Hable de **la situación del medio ambiente en su país**.

Incluya la siguiente información:
- Cómo es la situación del medio ambiente en su país.
- Si cree que en su país hay una verdadera conciencia ecológica.
- Si le preocupa el medio ambiente y qué hace en su vida para ayudar.
- Qué se podría hacer para mejorar el medio ambiente.

No olvide:
- Diferenciar las partes de su exposición: introducción, desarrollo y conclusión.
- Ordenar y relacionar bien las ideas.
- Justificar sus opiniones y sentimientos.

TAREA 2

CONVERSACIÓN CON EL ENTREVISTADOR

Después de terminar la exposición de la Tarea 1, deberá mantener una conversación con el entrevistador sobre el mismo tema.

Ejemplos de preguntas
- ¿Recicla usted?
- ¿Cree que hace todo lo posible para ayudar a conservar el medio ambiente?
- ¿Hay mucha contaminación en su ciudad?
- ¿Cree que es fácil llevar una vida ecológica en el mundo actual? ¿Por qué?

TAREA 3

DESCRIPCIÓN DE UNA FOTO

Observe detenidamente esta foto.

Describa detalladamente (1 o 2 minutos) lo que ve y lo que imagina que está pasando. Puede comentar, entre otros, estos aspectos:
- Quiénes son y qué relación tienen.
- Qué están haciendo.
- Dónde están.
- Qué hay.
- De qué están hablando.

A continuación, el entrevistador le hará unas preguntas (2 o 3 minutos).

Ejemplos de preguntas
- ¿Le gusta viajar?
- ¿Cuál es su medio de transporte favorito?
- ¿Cuáles son sus prioridades a la hora de elegir un destino?
- ¿Adónde fue en su último viaje?
- ¿Qué tal lo pasó?

TAREA 4

SITUACIÓN SIMULADA

Usted va a conversar con el entrevistador en una situación simulada (2 o 3 minutos).

Usted llega al aeropuerto y encuentra que han cancelado su vuelo. Imagine que el entrevistador es el empleado, hable con él de los siguientes temas:
- Pregúntele las causas de la suspensión del vuelo y por qué no le han avisado antes.
- Pídale que le explique las alternativas.
- Dígale si está o no de acuerdo con los cambios.
- Si no está de acuerdo con lo que le ofrecen, pregúntele cómo puede hacer una reclamación.

Ejemplos de preguntas
- Buenos días. ¿Puede decirme por qué ha sido cancelado este vuelo?
- ¿Hay otro vuelo mañana a la misma hora?
- ¿Dónde puedo poner una reclamación?

Preparación Diploma de Español (Nivel B1)

CIUDADES, MEDIOS DE TRANSPORTE Y DE COMUNICACIÓN

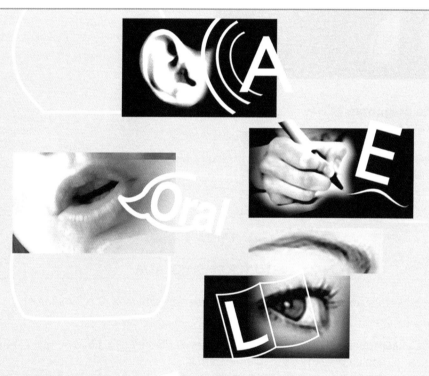

Te recomendamos este útil y práctico material para ampliar el vocabulario de español.

VOCABULARIO

FICHA DE AYUDA
Para la expresión e interacción
escritas y orales

VÍAS Y LUGARES

Casco (el) ....
- antiguo ....
- histórico ....
Túnel (el) ....
Vía (la) ....
Zona (la) ....
- céntrica ....
- comercial ....
- industrial ....
- peatonal ....
- residencial ....

SERVICIOS PÚBLICOS

Aseos públicos (los) ....
Buzón de correos (el) ....
Comisaría de policía (la) ....
Gasolinera (la) ....
Parque de bomberos (el) ....

VARIOS

Andén (el) ....
Asiento (el) ....
Atasco (el) ....
Autopista (la) ....
Boca de metro (la) ....
Camión (el) ....
Caravana (la) ....
Carril bus/bici (el) ....
Cinturón de seguridad (el) ....
Circulación (la) ....
Contaminación (la) ....
Embotellamiento (el) ....
Inseguridad ciudadana (la) ....
Paso de cebra/de peatones (el) ....

PERSONAS

Ciudadano/a (el, la) ....
Guardia de tráfico (el, la) ....

VERBOS

Aparcar ....
Girar ....
Hacer trasbordo ....

MEDIOS DE COMUNICACIÓN

Correspondencia escrita
Apartado de correos (el) ....
Buzón de voz (el) ....
Destinatario (el) ....
Mandar por correo ....
Posdata
Remitente (el) ....
Internet
Antivirus (el) ....
Conexión a Internet (la) ....
Contraseña (la) ....
Línea ADSL (la) ....
Navegador (el) ....
Nombre de usuario (el) ....
Televisión (la) y radio (la)
Agencia de prensa (la) ....
Anuncio (el) ....
Artículo (el) ....
Cartelera (la) ....
Editorial (el) ....
Emisora (la) ....
Episodio (el) ....
Locutor/-a (el, la) ....
Periodismo (el) ....
Programa de información/general/deportivo (el) ....
Suplemento cultural/de economía (el) ....
Telebasura (la) ....
Teléfono (el)
Batería del teléfono (la) ....
Buzón de voz (el) ....
Contestador automático (el) ....
Extensión (la) ....
Línea ocupada (la) ....
Llamada (la) ....
Tarjeta del teléfono (la) ....
Verbos
Acceder a una página ....
Adjuntar
Atender (una llamada) ....
Colgar el teléfono/algo en la red
Comunicarse (con) alguien
Conectarse a Internet
Descolgar ....
Desviar una llamada ....
Estar bien/mal informado ....
Ponerse al teléfono ....
Publicar una noticia/un reportaje ....
Poner copia/copia oculta a alguien ....
Quedarse sin batería/sin saldo ....
Redactar una noticia/un mensaje ....
Reenviar ....

 Comprensión de lectura

 70 min
Tiempo disponible para las 5 tareas.

TAREA 1

A continuación va a leer seis textos en los que unas personas cuentan el tipo de noticias que les interesan y algunas noticias breves. Relacione a las personas, 1-6, con las noticias, a)-j). Hay tres noticias que no debe relacionar.

PREGUNTAS

	PERSONA	TEXTO
0.	MARGARITA	h)
1.	ALBERTO	
2.	SORAYA	
3.	RODRIGO	
4.	LEONOR	
5.	MARIO	
6.	MARISA	

0. MARGARITA	Creo que es mi obligación, como ciudadana europea, estar informada de lo que pasa en nuestro continente. No podemos limitar nuestro interés tan solo a lo que sucede a nuestro alrededor.
1. ALBERTO	Lo que más me interesa del periódico es la sección cultural, sobre todo, las novedades editoriales, aunque a veces echo una ojeada a otras secciones, lo justo para ver qué pasa en el mundo.
2. SORAYA	Siempre he sido muy aficionada al cine clásico. Pienso que ahora prácticamente la totalidad de las películas son películas comerciales de acción y solo se basan en efectos especiales.
3. RODRIGO	A mí, por mi profesión –soy agente de Bolsa–, me interesan especialmente las noticias de economía. Me gustaría estar más informado en otros campos, pero es que no tengo mucho tiempo.
4. LEONOR	Antes leía el periódico de principio a fin, pero ahora es todo tan deprimente que reconozco que solo leo las noticias de sociedad, los cotilleos de los famosos... cosas que no me hacen pensar.
5. MARIO	Soy muy aficionado al deporte pero, a diferencia de la mayoría, no me interesa mucho el fútbol. La verdad es que hay otros deportes que me parecen más interesantes.
6. MARISA	A mí me interesa mucho la ecología. Pienso que el modo de vida actual está destruyendo el planeta y que todavía mucha gente no es consciente del problema.

Comprensión de lectura

NOTICIAS BREVES

a) Sara Zapatero, la popular presentadora de Teletrés, nos ha sorprendido a todos con un nuevo *look* muy favorecedor, con la melena mucho más corta de lo habitual. La novia de Alfonso Ruiz ya había cambiado su imagen meses atrás. A mediados del agosto pasado lució unas mechas tipo *californianas*, que se pusieron tan de moda en verano.

b) Un estudio de la Agencia Oceanográfica y Atmosférica de EE.UU. revela que en ciento treinta y tres años de registro, desde 1880, los doce últimos años están entre los catorce más cálidos. «El planeta se está calentando. La razón del calentamiento se debe a que están inyectando cantidades crecientes de dióxido de carbono a la atmósfera», afirma el científico y climatólogo Gavin Schmidt.

c) Los nuevos episodios de la exitosa serie *Tiempos de misterio* llegarán a España en abril. Aunque quedan varias semanas para que se estrene en nuestro país la tercera temporada de la popular serie, el canal acaba de colgar en su página web un vídeo promocional que muestra la realización y producción de estos nuevos episodios.

d) Pete Sampras será la gran atracción en el World Team Tennis. El exnúmero uno del mundo, retirado del circuito profesional en 2003, jugará en la Liga Mundial de Tenis, que agrupa a jugadores retirados y activos en un torneo de exhibición que se jugará después de Wimbledon. Andre Agassi, Andy Roddick, Martina Hingis y Steffi Graf también participarán.

e) El próximo mes de febrero, en la Filmoteca Nacional, se va a celebrar un ciclo de cine en blanco y negro que se iniciará con la proyección de *Shadows* (1959), del director estadounidense J. Cassavetes. Este ciclo pretende explorar diversas temáticas y modos de concebir el séptimo arte.

f) Los científicos consideran que hay que continuar las investigaciones sobre uno de los agentes más peligrosos conocidos, el virus aviar H5N1, para prevenir futuras pandemias. El virus H5N1 causó en la década pasada el peor episodio de gripe aviar de la historia, con millones de pollos muertos por infección o sacrificados para evitar su propagación.

g) Luis Mateo Díez gana el Premio Umbral por *La cabeza en llamas*. El jurado ha valorado la extraordinaria calidad de la prosa del escritor leonés y la hondura psicológica y humanística de los personajes que pueblan sus páginas. El premio ha sido convocado por la Fundación Francisco Umbral para distinguir al mejor libro entre las obras escritas y editadas en español durante este año.

h) La comisión de Agricultura del Parlamento Europeo celebra este miércoles la primera votación de la reforma de la Política Agrícola Común, a la que los eurodiputados han presentado más de 8 000 enmiendas. Los parlamentarios se pronunciarán sobre los cuatro textos que integran la reforma, que incluyen cambios en el régimen de los pagos directos a los agricultores y en las políticas de desarrollo rural.

i) Comienza la Liga española. El Real Madrid y el Barcelona juegan este fin de semana, ambos con partidos en casa, un nuevo duelo por ver cuál de los dos equipos es el mejor en la Liga española. El Real Madrid defenderá el título liguero logrado el pasado año recibiendo, el domingo, al siempre peligroso Valencia, tercer clasificado del pasado campeonato.

j) Apple cierra su primer trimestre fiscal con un beneficio de 13 100 millones de dólares. Durante ese periodo, la compañía tecnológica vendió un número récord de 47,8 millones de teléfonos iPhone, frente a los 37 millones del mismo trimestre del año anterior, y una cantidad récord de 22,9 millones de iPads, en comparación con los 15,4 millones del mismo trimestre del año pasado.

Preparación Diploma de Español (Nivel B1)

TAREA 2

A continuación hay un texto sobre la evolución de la ciudad. Después de leerlo, elija la respuesta correcta, a), b) o c), para las preguntas, 7-12.

EL URBANISMO A TRAVÉS DE LA HISTORIA

Las primeras civilizaciones urbanas surgen hacia el 3000 a. C. en diversos lugares de África y Asia. Son ciudades todavía muy vinculadas a la agricultura, con poblaciones reducidas y diseño irregular, con la excepción de las ciudades indias.

Es en la Grecia Clásica, cuando las ciudades empiezan a seguir un plan más ordenado. Por un lado estaba la acrópolis, con los edificios religiosos y, por otro, el ágora, donde estaban los edificios públicos.

Pero la primera gran urbe de la historia es Roma. Los abundantes tributos que llegaban desde sus provincias y la gran fuerza de trabajo esclava permitieron un espectacular desarrollo en una ciudad que alcanzó hasta el millón de habitantes, cifra enorme para aquella época. Además, con su talento para la ingeniería, sentaron las bases arquitectónicas de edificios y estructuras que caracterizaron el urbanismo occidental durante siglos.

En la Edad Media, tras la caída del Imperio romano, la ciudad experimentó un gran retroceso en Occidente. Las guerras y la inestabilidad configuraron ciudades pequeñas, de apenas unos 15000 habitantes, de marcado carácter agrícola y sin apenas edificios públicos. En el mundo islámico, sin embargo, las ciudades siguieron manteniendo un gran impulso. En ellas, la vida pública se concentra en torno a mezquitas y mercados, que constituyen casi una ciudad dentro de la ciudad.

En el Renacimiento, la ciudad vuelve a resurgir y adquiere más importancia con el nacimiento de una nueva clase social: la burguesía.

En la Edad Moderna, la ciudad es resultado de las fuerzas que desembocarán en la formación de los grandes Estados europeos. Las principales calles se ensanchan, aparecen las arboledas, los paseos, las grandes plazas y se intenta organizar el crecimiento urbano a partir de plantas regulares. La ciudad refleja la grandeza del Estado, por lo que todo gasto para embellecerla está bien empleado.

Con la Revolución francesa y la Revolución Industrial, el mundo cambia de signo y la fisonomía de la ciudad vuelve a cambiar acorde a los nuevos tiempos. El prototipo de ciudad es París. La ciudad se divide en barrios claramente diferenciados. En los peores lugares viven los trabajadores en condiciones miserables, mientras que las mejores zonas se reservan para la burguesía. El ejemplo más evidente lo encontramos en Londres, donde un inframundo de desesperados convive con la opulencia de la City.

En el siglo XX, las ciudades experimentan un desarrollo vertiginoso. Se produce una impresionante explosión demográfica y los avances tecnológicos se suceden cada vez con mayor rapidez, configurando el paisaje urbano. Hoy día, los grandes centros han crecido hasta el punto de haber absorbido los pueblos de su alrededor. Existen megalópolis titánicas, de gran dinamismo, en las que la superficie urbana se extiende por kilómetros y kilómetros. ¿Cómo serán las ciudades del futuro? ¿Existe algún límite a semejante crecimiento?

Adaptado de www.pixelteca.com

PREGUNTAS

7. Según el texto, las primeras ciudades de la historia:
   a) Eran diferentes en la India.
   b) Aparecen con el abandono de la agricultura.
   c) Surgen en la Grecia Clásica.

8. En el texto se afirma que Roma:
   a) Era una ciudad poco poblada para la época.
   b) Crea el modelo de ciudad occidental posterior.
   c) Fundó muchas ciudades en sus provincias.

9. Según el texto, en la Edad Media:
   a) El tamaño y la población de las ciudades disminuyó.
   b) En el mundo islámico las ciudades eran poco importantes.
   c) Las ciudades siguen siendo como en la época romana.

10. El texto afirma que en la Edad Moderna:
    a) La ciudad crece mucho, pero de un modo desordenado.
    b) No se quiere invertir mucho en el desarrollo urbano.
    c) La grandeza de una ciudad es prueba de la importancia del Estado.

11. Según el texto, tras la Revolución francesa y la Revolución Industrial:
    a) Las ciudades se adaptan a los tiempos que corren.
    b) Se vivía peor en Londres que en París.
    c) Las ciudades experimentan una notable mejoría.

12. En el texto se afirma que:
    a) Las ciudades del futuro serán más grandes.
    b) Muchos prefieren vivir en los pueblos de los alrededores.
    c) Los avances tecnológicos afectan al aspecto de la ciudad.

TAREA 3

A continuación va a leer tres textos en los que tres personas hablan sobre cómo se mueven por la ciudad. Después, relacione las preguntas, 13-18, con los textos, a), b) o c).

PREGUNTAS

	a) Miguel	b) Marta	c) Jesús
13. Siempre usa transportes públicos en su vida diaria.			
14. No vive lejos de su trabajo.			
15. Ha tenido un problema de corazón.			
16. Va a su trabajo en autobús.			
17. Tiene el coche estropeado.			
18. Va andando a su lugar de trabajo.			

a) Miguel

Yo tengo la suerte de vivir a diez minutos en metro de mi trabajo, así que durante la semana no pierdo mucho tiempo en transporte. El problema para mí es los fines de semana. Como mis hijos son todavía pequeños y mi mujer no conduce, me toca hacer de chófer de toda la familia. Además, solemos hacer la compra en uno de los hipermercados de las afueras. Esta semana no sé qué vamos a hacer porque tengo el coche en el taller. La compra podemos resolverla en las tiendas cerca de casa, pero mis hijos tienen el cumpleaños de un amigo y no sé cómo vamos a llevarlos.

b) Marta

Odio conducir, pero afortunadamente vivo en una zona residencial de los alrededores de Madrid que está muy bien comunicada, así que solo uso el coche para viajar durante las vacaciones. No siempre ha sido así: al principio solo estaba el autobús y había que andar un poco hasta la parada, pero ahora tenemos, además del autobús, una estación de cercanías y dentro de poco el metro va a llegar hasta nuestra zona. Todos mis vecinos están encantados porque, desde luego, el metro es lo más rápido para ir al trabajo, ya que no hay problemas de tráfico y atascos, pero yo creo que voy a seguir yendo en autobús como hasta ahora, porque me gusta ver la ciudad desde la ventanilla.

c) Jesús

El año pasado casi tuve un infarto. Afortunadamente no pasó nada, pero me asusté mucho. El cardiólogo me dijo que necesitaba hacer ejercicio diariamente, así que voy a pie a mi trabajo. Tardo casi una hora, así que tengo que levantarme muy temprano. A la vuelta, normalmente estoy muy cansado y entonces tomo el autobús. Otras veces, vuelvo en coche con un compañero que vive relativamente cerca. Los fines de semana utilizo el coche para salir con la familia al campo o a la montaña, si hace buen tiempo. Y si llueve o hace demasiado frío, al menos doy un paseo de una hora u hora y media por mi barrio.

TAREA 4

A continuación va a leer un texto del que se han extraído seis fragmentos. Después, lea los ocho fragmentos, a)-h), y decida en qué lugar del texto, 19-24, va cada uno. Hay dos fragmentos que no tiene que elegir.

ENFEMENINO.TV   BELLEZA   MODA   NOVIAS   LUJO   MATERNIDAD   EN FORMA   PAREJA   MUJER DE HOY   PSICO & TESTS   ELLOS

Foro | Álbum | Blogs | Mi espacio | Videos | Mensajes | Club

Inicio > Los Foros > Viajes > Chile

EL MUNDO A UN CLIC DE DISTANCIA

Una de las causas por la que se llama a la sociedad del siglo XXI *sociedad de la información* es la invención de Internet.

Existen dos teorías sobre su origen; la primera afirma que, como tantas otras tecnologías innovadoras, es un invento militar estadounidense. 19. _____.

Los primeros ordenadores eran enormes máquinas que ocupaban varios metros cuadrados y que simplemente enviaban datos de un ordenador a otro. El concepto parecía ser acertado, pero la práctica era cara e ineficaz, ya que cada terminal tenía una forma de trabajo diferente. 20. _____. ARPANET fue el resultado tan deseado y el 2 de septiembre de 1969, en la Universidad de California en Los Ángeles, se conectó el primer ordenador a esta primitiva red.

Poco a poco se perfeccionó el sistema hasta llegar a ser una gran red de redes con capacidad de obtener todo tipo de información procedente de cualquier parte del mundo y en cualquier momento. 21. _____.

El verdadero motor de Internet fue la creación de las páginas web, gracias a las que, lo que hasta el momento era solo usado por científicos, pasó a ser un medio de comunicación de masas. El investigador suizo Tim Berners-Lee tuvo la idea de crear un lenguaje específico para estructurar documentos de texto. Eran los primeros pasos del lenguaje HTML, base de las páginas web, además de dar pie a otros revolucionarios inventos como los hiperenlaces o *links*. 22. _____. Se hace posible saltar de un contenido a otro con el simple clic del ratón. Internet comenzó a ser conocido por el gran público.

El ritmo de creación de páginas web alcanzó índices insospechados. Centenares de miles de páginas interconectadas entre sí mediante los enlaces: páginas personales, medios de comunicación, y un sinfín de sitios web dedicados a los más diversos temas. 23. _____.

En 1994 llega Netscape, un navegador muy avanzado que se impone durante años hasta que Microsoft crea su Internet Explorer y comienza una lucha por el control de los navegadores. 24. _____.

La verdad es que ahora no podemos imaginar nuestra vida sin la existencia de los sitios web y los servicios que nos ofrecen.

Adaptado de www.portalmundos.com

Preparación Diploma de Español (Nivel B1)

FRAGMENTOS

a)

Paralelamente el PC se incorporaba al hogar, con equipos suficientemente potentes como para navegar por Internet.

b)

Por eso, pronto se vio la necesidad de unificar los sistemas.

c)

De la mano de estos enlaces empieza a emplearse el término *navegar* por todos esos sitios.

d)

Y es así como los primeros SPAM (correo electrónico no deseado) aparecen.

e)

La otra versión dice que surgió de las investigaciones de un grupo de científicos de varias universidades.

f)

El resultado no fue otro que el triunfo del navegador que la mayoría utilizamos hoy en día.

g)

Sin embargo, esta agencia se dedicaba a financiar proyectos que mantuviesen al país en la vanguardia del desarrollo tecnológico.

h)

Pero este gran descubrimiento, en un principio, solo era aprovechado en el ámbito universitario y científico.

TAREA 5

A continuación va a leer una carta de reclamación. Elija la opción correcta, a), b) o c), para completar los huecos, 25-30.

Muy señor mío:

Acabo de volver de un viaje a Canarias organizado por su compañía de viajes y le escribo para protestar por el trato recibido.

____25____ primer lugar, cuando realicé la reserva, pedí al empleado de su agencia dos habitaciones con ____26____ al mar, pero cuando llegamos mi familia y yo, encontramos que una de las habitaciones daba a un patio interior y la otra, al aparcamiento. Hablé con la directora del hotel y le pedí explicaciones, pero ella me dijo que ____27____ sentía mucho, pero que todas las otras habitaciones ____28____ ocupadas, así que no tuvimos más remedio que aceptar.

____29____ este no fue el único problema del viaje: durante nuestra estancia, comprobamos que el hotel no era de cinco estrellas y que no se incluían todas las comidas, como me habían asegurado al hacer la reserva.

Me parece fatal que su compañía ____30____ publicidad engañosa para atraer clientes y exijo que se me devuelva, al menos, parte de lo que pagué, ya que el viaje no ha correspondido a lo que se me prometió.

Espero su respuesta. Atentamente,

José Carrión

PREGUNTAS

25. **a)** En   **b)** Por   **c)** De
26. **a)** paisaje   **b)** mirada   **c)** vistas
27. **a)** lo   **b)** la   **c)** le
28. **a)** estuvieron   **b)** estaban   **c)** están
29. **a)** Por el contrario   **b)** Pero   **c)** En cambio
30. **a)** hace   **b)** hizo   **c)** haga

Anote el tiempo que ha tardado:

Recuerde que solo dispone de 70 minutos

Preparación Diploma de Español (Nivel B1)

PRUEBA 2  Comprensión auditiva

40 **min**
Tiempo disponible para las 5 tareas.

CD II
Pista 11

TAREA 1

A continuación va a escuchar seis anuncios sobre aeropuertos españoles. Oirá cada anuncio dos veces. Después, seleccione la opción correcta, a), b) o c), para cada pregunta, 1-6.
Dispone de 30 segundos para leer las preguntas.

PREGUNTAS

Anuncio 1
1. ¿Qué afirma este anuncio sobre el aeropuerto de Ibiza?
   a) Que se puede imprimir en todos los aparatos disponibles.
   b) Que la conexión a Internet no es gratuita.
   c) Que puede ver el plano del aeropuerto en los puntos de conexión.

Anuncio 2
2. ¿Para qué sirve el servicio Tourist Móvil?
   a) Para saber dónde recoger las maletas.
   b) Para poder utilizar el teléfono móvil en Valencia.
   c) Para obtener información turística gratis.

Anuncio 3
3. ¿Qué características tiene el servicio de plastificado de equipaje?
   a) Que cuesta 6 euros por cada pieza de equipaje.
   b) Que permite facturar una maleta las veinticuatro horas.
   c) Que es más caro si se desea liberar las ruedas.

Anuncio 4
4. ¿Qué consecuencias tienen las obras de ampliación de este aeropuerto?
   a) Que no se pueden usar los cuartos de baño.
   b) Que las cafeterías solo servirán sándwiches y bebidas.
   c) Cambios temporales en el aeropuerto.

Anuncio 5
5. ¿Qué dice este anuncio sobre el aeropuerto de A Coruña?
   a) Que la sala de negocios puede usarse como sala de espera.
   b) Que el uso de la sala de negocios es solo para empresas.
   c) Que se puede comer en la sala de negocios.

Anuncio 6
6. ¿Qué se informa sobre la línea 824?
   a) Que es de nueva creación.
   b) Que ahora llega más lejos.
   c) Que no funciona el fin de semana.

Comprensión auditiva

TAREA 2

A continuación va a escuchar un fragmento del programa ¿Qué te trajo aquí? en el que Roberto habla de cómo vino a vivir a Madrid. Lo oirá dos veces. Después, seleccione la opción correcta, a), b) o c), para cada pregunta, 7-12.
Dispone de 30 segundos para leer las preguntas.

PREGUNTAS

7. En la grabación, Roberto dice que conoció a Carmen:
   a) En un viaje a Montevideo.
   b) A través de su hermano.
   c) En su fiesta de cumpleaños.

8. Roberto dice que decidieron irse a España:
   a) Porque Carmen no estaba contenta en Uruguay.
   b) Porque ambos perdieron su trabajo.
   c) Por decisión de los dos.

9. Sobre la familia de Carmen, Roberto afirma que:
   a) No se sentía muy cómodo con ellos.
   b) No vivían en una casa con capacidad para tanta gente.
   c) Los vio por primera vez cuando llegó a España.

10. Según Roberto, lo único que no le gusta de la casa es que:
    a) Tiene que subir muchas escaleras.
    b) Está lejos de la familia de Carmen.
    c) Es demasiado pequeña.

11. Roberto dice que la casa de su familia en Uruguay estaba:
    a) Junto al mar.
    b) En una zona ruidosa.
    c) Cerca de un parque.

12. Según el audio, Roberto dice que sus padres:
    a) Nunca han estado en España.
    b) Vinieron las pasadas Navidades.
    c) Lo visitarán dentro de poco.

Preparación Diploma de Español (Nivel B1)

CD II

Pista 13

TAREA 3

Va a escuchar seis noticias de un programa radiofónico sobre los pueblos de la sierra. Lo oirá dos veces. Después, seleccione la respuesta correcta, a), b) o c), para las preguntas, 13-18.
Dispone de 30 segundos para leer las preguntas.

PREGUNTAS

Noticia 1

13. El grupo de montaña Un paso tras otro:
- **a)** Proyecta películas todos los viernes.
- **b)** Se reúne en la Casa de la Juventud.
- **c)** Lleva tres años organizando un ciclo de cine.

Noticia 2

14. El nuevo instituto de Puerto Alto:
- **a)** Se pagará con dinero del Ayuntamiento.
- **b)** Será el quinto que tenga este pueblo.
- **c)** Estará en el centro del pueblo.

Noticia 3

15. La línea de autobuses 765:
- **a)** Solo llegará al hospital Virgen de la Salud.
- **b)** Saldrá cada cincuenta minutos.
- **c)** Tendrá horarios diferentes el fin de semana.

Noticia 4

16. La libertad de horarios comerciales:
- **a)** No es bien aceptada por algunos sectores.
- **b)** Solo se aplica a los pequeños comercios.
- **c)** Ya existía en otros lugares de España.

Noticia 5

17. El Ayuntamiento de Puerto Mediano:
- **a)** Ha actuado sin tener en cuenta la opinión pública.
- **b)** Va a plantar árboles en algunas calles.
- **c)** Está renovando las aceras de algunas calles.

Noticia 6

18. Los cortes de algunas calles de Altozano:
- **a)** Serán temporales.
- **b)** Afectarán también a los residentes en esas calles.
- **c)** Todavía no se han producido.

CD II

Pista 14

TAREA 4

A continuación va a escuchar a seis personas hablando sobre el barrio donde viven. Oirá a cada persona dos veces. Después, seleccione el enunciado, a)-j), que corresponde al tema del que habla cada persona, 19-24. Hay diez enunciados (incluido el ejemplo), pero debe seleccionar solamente seis. Dispone de 20 segundos para leer los enunciados.

ENUNCIADOS

a) Siempre ha vivido en el mismo barrio.
b) Va a mudarse pronto.
c) Ha llegado allí hace poco.
d) Le gustaría tener más parques en su zona.
e) Vive cerca de su familia.
f) Vive en la zona antigua de la ciudad.
g) En su barrio no hay tiendas.
h) *Vive en las afueras.*
i) Tiene problemas de aparcamiento.
j) Su barrio ha cambiado mucho.

	PERSONA	ENUNCIADO
	Persona 0	h)
19.	Persona 1	
20.	Persona 2	
21.	Persona 3	
22.	Persona 4	
23.	Persona 5	
24.	Persona 6	

CD II

Pista 15

TAREA 5

A continuación va a escuchar una conversación entre dos amigos, Ester y Carlos. La oirá dos veces. Después, decida si los enunciados, 25-30, se refieren a Ester, a), a Carlos, b), o a ninguno de los dos, c). Dispone de 25 segundos para leer los enunciados.

	a) Ester	b) Carlos	c) Ninguno de los dos
0. Llevaba mucho tiempo esperando.	✔		
25. Ha venido en metro.			
26. Tiene una cita más tarde.			
27. No conoce todavía la casa de Chema.			
28. Piensa que la otra heladería es peor.			
29. No le gusta leer en la pantalla del ordenador.			
30. Va a trabajar el fin de semana.			

Anote el tiempo que ha tardado:

Recuerde que solo dispone de **40 minutos**

Preparación Diploma de Español (Nivel B1)

PRUEBA 3 — Expresión e interacción escritas

Tiempo disponible para las 2 tareas.

TAREA 1

Usted ha recibido este mensaje de un amigo.

○ ○ ○   ✉ Sin título

Enviar ahora   Enviar más tarde   🗑   📎   ✒   Insertar   Categorías

Hola, ya sabes que Nieves y yo nos vamos a casar en octubre y estamos buscando una casa. No sabemos muy bien en qué zona empezar a buscar. Pienso que tu barrio es muy agradable, pero antes quería saber tu opinión. ¿Estás contento allí? ¿Crees que es un buen lugar para vivir? ¿Está bien comunicado? ¿Es una zona muy cara? Escríbeme, por favor, y dime todo lo que te parezca de interés.

Muchas gracias y espero tu respuesta, Juan Luis

Escriba un correo electrónico a Juan Luis (entre 100-120 palabras) en el que deberá:
- Saludar.
- Felicitarlo por su próxima boda y expresarle sus buenos deseos.
- Explicarle a su amigo cómo es su barrio, sus ventajas y sus inconvenientes.
- Decirle si le parece una buena idea o no comprar una casa allí.
- Ofrecerse a acompañarlo a ver casas.
- Despedirse y pedirle que trasmita sus saludos a Nieves.

TAREA 2

Lea la siguiente entrada de facebook.

facebook

ha compartido un **enlace**. Hace aproximadamente una hora

¡Estoy harto de la ciudad! El otro día tardé tres cuartos de hora en llegar a mi trabajo. ¡Tres cuartos de hora escuchando los cláxones y respirando el humo de los coches! Estoy pensando seriamente en irme a vivir al campo.

Escriba un comentario (entre 130-150 palabras) en este facebook contando:
- Cuáles son las ventajas e inconvenientes de vivir en el campo.
- Cuáles son las ventajas e inconvenientes de vivir en la ciudad.
- Qué preferencias tiene y justifíquelas.
- Dónde vive y si está contento allí.
- Cómo se podría mejorar su barrio.

Anote el tiempo que ha tardado:

Recuerde que solo dispone de **60 minutos**

Apuntes de gramática

Usos de ciertas preposiciones:

A
- Expresa dirección (con verbos de movimiento): *Voy a la estación.*
- Indica la ubicación de una cosa con respecto a otra: *Está a la derecha de la parada.*
- Expresa distancia: *La estación de metro está a 200 metros.*
- Expresa tiempo: *El avión sale a las tres.*

EN
- Se usa para hablar de medios de transporte: *Ha llegado en metro.*
- Indica lugar o situación: *El móvil está en la mesa.*
- Indica interior de un lugar: *Estamos en el cine.*
- Indica el tiempo durante el que tiene lugar la acción: *Iré a verte en mayo.*

PARA
- Indica dirección o destino (con verbos de movimiento): *Voy para la oficina.*
- Indica tiempo límite de un periodo: *Irá a su país para el verano.*

POR
- Indica «tránsito» (con verbos de movimiento): *Cruzo por el paso de cebra.*
- Indica tiempo aproximado: *Visitaré Cuba por Navidad.*

Dar instrucciones
- *Para llegar a… tienes que tomar/hay que tomar el metro.*
- *Toma el autobús número…/la línea… del metro y bájate en la segunda parada.*
- *Bájate en la parada/estación de…/que está en…*
- *Sigue todo recto y, cuando veas/pases por el kiosco, gira a la derecha.*
- *Tienes que tomar la primera calle a la derecha/izquierda.*
- *Cruza la plaza/calle.*

Felicitar
- *Felicidades por tu próxima boda.*
- *Enhorabuena por tu próxima boda.*

Expresar preferencias
- *Me gusta más el autobús que el metro.*
- *Prefiero que me llames al móvil.*

Expresar buenos deseos
- *Que seáis muy felices.*
- *Espero que seáis muy felices.*

Opinar
- *Creo que/Pienso que/Opino que/Para mí + indicativo.*
- *No creo que/No pienso que/No opino que + subjuntivo.*

Ordenar ideas
- *En primer lugar… En segundo lugar… Por último…*
- *Por un lado… Por otro…*
- *Por una parte… Por otra…*

Para proponer soluciones hipotéticas
- *Se podría…*
- *Habría que…*
- *Las autoridades tendrían que…*

Pedir que se transmitan saludos a otra persona
- *Saluda a Pilar de mi parte.*
- *Dale un beso a Pilar de mi parte.*
- *Felicita a Pilar de mi parte.*

PRUEBA 4  Expresión e interacción orales

15 min Tiempo disponible para preparar las tareas 1 y 2.

15 min Tiempo disponible para realizar las 4 tareas.

TAREA 1

EXPOSICIÓN DE UN TEMA

Tiene que hablar durante 2 o 3 minutos sobre este tema.

Hable de **los medios de comunicación en su país.**

Incluya la siguiente información:
- Cuáles son los medios de comunicación más populares en su país.
- Si cree que la gente de su país está bien informada en general.
- Qué tipo de noticias producen más interés en su país.

No olvide:
- Diferenciar las partes de su exposición: introducción, desarrollo y conclusión.
- Ordenar y relacionar bien las ideas.
- Justificar sus opiniones y sentimientos.

TAREA 2

CONVERSACIÓN CON EL ENTREVISTADOR

Después de terminar la exposición de la Tarea 1, deberá mantener una conversación con el entrevistador sobre el mismo tema.

Ejemplos de preguntas
- ¿Se considera usted una persona bien informada?
- ¿Qué medio de comunicación prefiere? ¿Por qué?
- ¿Lee o ve las noticias todos los días?
- ¿Me puede contar una noticia que le haya impresionado últimamente?

TAREA 3

DESCRIPCIÓN DE UNA FOTO

Observe detenidamente esta foto.

Describa detalladamente (1 o 2 minutos) lo que ve y lo que imagina que está pasando. Puede comentar, entre otros, estos aspectos:
- Quiénes son y qué relación tienen.
- Qué están haciendo.
- Dónde están.
- Qué hay.
- De qué están hablando.

A continuación, el entrevistador le hará unas preguntas (2 o 3 minutos).

Ejemplos de preguntas
- ¿Cuál es su medio de transporte favorito en la ciudad?
- ¿Hay buenos transportes en su ciudad? ¿Son caros?
- ¿Utiliza los transportes públicos con frecuencia?

TAREA 4

SITUACIÓN SIMULADA

Usted va a conversar con el entrevistador en una situación simulada (2 o 3 minutos).

Usted está en una ciudad desconocida y quiere tomar el metro.
Imagine que el entrevistador es el empleado de la taquilla, hable con él de los siguientes temas:
- Pregúntele el precio de un billete sencillo.
- Pregúntele si hay algún tipo de abono o billete más barato.
- Pregúntele qué línea le conviene y en qué estación debe bajar para ir al centro de la ciudad.
- Pídale un plano con las líneas de metro.

Ejemplos de preguntas
- Buenos días. ¿Qué desea?
- ¿Hay algún abono o tarjeta mensual?
- Pues depende, ¿quiere ir a la parte antigua o a la zona comercial?

CULTURA, TIEMPO LIBRE Y DEPORTES

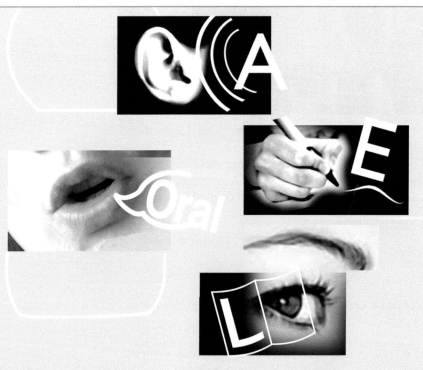

Te recomendamos este útil y práctico material para ampliar el vocabulario de español.

VOCABULARIO

FICHA DE AYUDA
Para la expresión e interacción
escritas y orales

PERSONAS

Árbitro (el) ....
Bailarín/-a (el, la) ....
Compositor/-a (el, la) ....
Deportista (el, la) ....
Entrenador/-a (el, la) ....
Equipo (el) ....
Escultor/-a (el, la) ....
Espectador/-a (el, la) ....
Futbolista (el, la) ....
Guitarrista (el, la) ....
Jugador/-a (el, la) ....
Novelista (el, la) ....
Personaje (el) ....
Pianista (el, la) ....
Poeta (el) ....
Poetisa (la) ....
Protagonista (el, la) ....
Público (el) ....
Traductor/-a (el, la) ....
Violinista (el, la) ....

LUGARES

Campo de fútbol (el) ....
Estadio (el) ....
Galería de arte (la) ....
Parque de atracciones (el) ....
Pista de tenis (la) ....
Polideportivo (el) ....

ESPECTÁCULOS

Ballet (el) ....
Comedia (la) ....
Drama (el) ....
Escenario (el) ....
Obra de teatro (la) ....
Partido (el) ....
Película (la)
- romántica, de acción, de dibujos
  animados, de ciencia ficción, policíaca ....
- versión original (V.O.) ....
- doblada, subtitulada (V.O.S.) ....

LITERATURA

Autobiografía (la) ....
Biografía (la) ....
Capítulo (el) ....
Literatura clásica/moderna (la) ....
Novela (la)
- policíaca, de aventuras, histórica ....
Poema (el) ....

DEPORTES Y JUEGOS

Atletismo (el) ....
Balonmano (el) ....
Béisbol (el) ....
Billar (el) ....
Bolos (los) ....
Dardos (los) ....
Casilla (la) ....
Ciclismo (el) ....
Concurso (el) ....
Consola (la) ....
Dado (el) ....
Ficha (la) ....
Juego de mesa/de cartas (el) ....
Natación (la) ....
Tablero (el) ....
Videojuego (el) ....
Voleibol (el) ....

VARIOS

Asiento (el) ....
Balón (el) ....
Descanso (el) ....
Día del espectador (el) ....
Escenario (el) ....
Fila (la) ....
Pantalla (la) ....
Pelota (la) ....
Sesión (la) ....
Taquilla (la) ....

VERBOS

Aburrirse ....
Dar (un paseo) ....
Disfrutar ....
Divertirse ....
Empatar ....
Ganar ....
Hacer (deporte) ....
Hacer (cola) ....
Inscribirse (en) ....
Pasarlo bien/mal ....
Perder ....
Poner (una película) ....
Sacar (las entradas) ....
Ser aficionado (a) ....
Tocar (un premio) ....
Tratar (de) ....

8

Esta prueba consta de **cinco tareas** y un total de **30 ítems** de diferente tipología. Tienes **70 minutos** para hacer toda la prueba.

Tarea 1. La tarea consiste en **extraer la idea principal** e **identificar información específica** en textos breves (entre 40-60 palabras) pertenecientes a los ámbitos personal, profesional, público y académico. Se trata de **relacionar las opiniones o declaraciones** de siete personas con **diez textos** (anuncios publicitarios, cartelera de cine, avisos...). Una de las personas y una de las declaracíones se utilizan como ejemplo, con lo cual, solo debemos relacionar seis.

TAREA 1

A continuación va a leer seis textos en los que unas personas hablan del tipo de película que les apetece ver y una página con las reseñas de algunas películas. Relacione a las personas, 1-6, con los textos que informan sobre las películas, a)-j). Hay tres textos que no debe relacionar.

PREGUNTAS

	PERSONA	TEXTO
0.	ARTURO	b)
1.	OLGA	
2.	ANTONIO	
3.	INMA	
4.	FELIPE	
5.	ROSA	
6.	DANIEL	

0. ARTURO	La verdad es que no soy muy aficionado al cine comercial. Prefiero las cintas de temática social que tratan cuestiones de interés humano.
1. OLGA	A mí me fascinan las películas de miedo. Son las que más me gustan. Mi hermana dice que no entiende cómo me puede gustar sufrir, pero yo sé que todo es falso, que nada de eso puede pasar en realidad.
2. ANTONIO	Me gusta la ciencia ficción, pero no soporto la violencia. No sé por qué suelen unir estos dos conceptos. Me interesan las cosas que hacen pensar sobre posibles futuros u otros mundos.
3. INMA	La verdad es que la ficción no me interesa mucho. Por ejemplo, nunca leo novelas ni cuentos. Y con las películas me pasa lo mismo: prefiero los documentales, especialmente de actualidad, porque los de naturaleza no me interesan nada.
4. FELIPE	Tengo dos hijos de cinco y siete años y últimamente solo veo películas de niños. La verdad es que no me importa porque es un momento que disfrutamos los tres juntos y hay películas infantiles magníficas.
5. ROSA	A mí me gusta el cine clásico. Me parece que hay verdaderas obras de arte que nunca pasarán de moda. En cambio, muchas películas actuales, que solo se basan en efectos especiales, no tendrán un lugar en la historia.
6. DANIEL	Me encantan las comedias en general, me gusta pasar un buen rato y olvidarme de los problemas. Lo que quiero es relajarme y no pensar. Si quiero sufrir, ya tengo las noticias...

a) **¿Quién mató al coche eléctrico?** El director Chris Paine investiga los intereses ocultos de las grandes empresas del motor que llevaron al fracaso y desaparición del coche eléctrico EV-1. A través de entrevistas a expertos, deja entrever la cara más negativa de estas empresas con una dura crítica, algo que por supuesto no está exento de polémica.

b) **Recursos humanos.** Frank, un licenciado en Económicas, vuelve a su ciudad natal con un puesto directivo en la fábrica donde su padre ha estado trabajando durante 35 años. Su primera tarea es hacer un reajuste que supone el despido de varios trabajadores, entre ellos, su padre.

c) **Enemigo mío.** En medio de una guerra galáctica, la nave de un soldado de La Tierra cae en un planeta alienígena. Allí encuentra a otro superviviente, pero de la raza enemiga. Los dos tienen que unir sus fuerzas para sobrevivir y surge una inesperada amistad.

d) **Ponyo.** Sosuke vive al lado del mar. Un día, en la playa rocosa que está junto a su casa, encuentra a un pez atascado en un bote de mermelada. Lo rescata y lo lleva a su casa. El pez dorado resulta ser una princesa que quiere ser humana.

e) **La máquina asesina.** En un futuro no muy lejano los policías se entrenan a través de un programa informático de realidad virtual donde deben luchar contra un personaje creado uniendo las memorias de los peores asesinos de la historia. De algún modo, el personaje escapa al mundo real. Un policía debe capturarlo y eliminarlo.

f) **Eva al desnudo.** Dentro de nuestro ciclo dedicado a estrellas de los cuarenta, se emite este film, imprescindible para todos los admiradores de Bette Davis. Una ambiciosa joven actriz se introduce en el círculo de una diva hasta que logra robarle su papel.

g) **Rec.** Una reportera y un cámara de un programa de telerrealidad que se dedican a transmitir reportajes en directo siguiendo a los equipos de emergencias se ven atrapados en un apartamento donde algo terrorífico les espera.

h) **Caminando entre dinosaurios.** Usando las últimas tecnologías, un equipo combinado de paleontólogos y cineastas ha reconstruido el asombroso mundo perdido del tiempo en que reinaban los dinosaurios, mostrándonos cómo aparecieron y cómo vivían, así como las últimas teorías sobre por qué desaparecieron.

i) **Fuga de cerebros.** Emilio, tímido y mal estudiante, ama en secreto a Natalia, la chica guapa y lista de la clase. Cuando por fin se decide a declararse, Natalia recibe una beca para estudiar en Oxford. Todo parece perdido para Emilio, pero sus colegas del instituto deciden ayudarle. Falsifican expedientes y becas, y marchan a Oxford revolucionando la apacible vida del campus.

j) **X/1999.** Dibujos animados. El fin del mundo se aproxima y un grupo de individuos con poderes sobrenaturales deben tomar partido en la violenta batalla entre los dragones del cielo y los dragones de la tierra (no recomendada para menores de 13).

PISTAS

- **0. ARTURO** se relaciona con el texto **b)**, ya que afirma que le gustan las películas de temática social e interés humano y esta película trata del tema de los despidos en una fábrica y de las relaciones entre un padre y su hijo.
- **1. OLGA** se relaciona con el texto **g)**, ya que a ella le gustan las películas de miedo y en el comentario se habla de *algo terrorífico*.
- **2. ANTONIO** se relaciona con el texto **c)**. A Antonio le gusta la ciencia ficción, pero no cuando va unida a la violencia, y el texto **c)** es de una película de ciencia ficción: habla de *guerra galáctica, planeta alienígena* y trata de un tema de amistad entre miembros de dos razas. Descartamos **e)**, porque aunque la película también es de ciencia ficción, se da a entender que es violenta, ya que habla de *asesinos* y *de luchar*.
- **3. INMA** se relaciona con el texto **a)**. Afirma que le gustan los documentales especialmente de actualidad y el texto **a)** se refiere a un documental sobre el coche eléctrico. Descartamos **h)**, porque afirma que los únicos documentales que no le gustan son los de *naturaleza*.
- **4. FELIPE** afirma que ahora solo ve películas infantiles, por lo cual la única que podemos relacionar es la del texto **d)**. Descartamos **j)** porque, aunque es de dibujos animados, se dice que es para mayores de 13 años y sus hijos son menores de esa edad.
- **5. ROSA** afirma que le gusta el cine clásico, por eso podemos relacionarla con el texto **f)**, que habla de una película emitida dentro de un ciclo de estrellas de los cuarenta.
- **6. DANIEL** afirma preferir películas cómicas y la sinopsis de película descrita en el texto **i)** da a entender que pertenece a dicho género.

Tarea 2. La tarea consiste en **extraer** las **ideas esenciales e identificar información específica** en **textos informativos simples.** Se trata de un texto informativo de entre 400 y 450 palabras, del **ámbito público** o **académico** con **seis preguntas** con **tres opciones** de respuesta.

TAREA 2

A continuación hay un texto sobre el teatro en diferentes culturas. Después de leerlo, elija la respuesta correcta, a), b) o c), para las preguntas, 7-12.

EL TEATRO EN DIFERENTES CULTURAS

Teatro viene del término griego *Theatron*, que quiere decir 'lugar para contemplar', porque en definitiva ¿qué es el teatro sino una representación de historias frente a un público? Nadie se pone de acuerdo en cuál fue el inicio del teatro pero, partiendo de su definición, el chamán prehistórico fue uno de los primeros actores de la historia; tenía preparación, vestuario y texto para sus curaciones y un público incondicional. El objetivo primordial era conectar con Dios, elemento base para la aparición del teatro en todas las civilizaciones.

En Egipto practicaban su culto a los muertos mediante danzas y canciones, entre estos ritos destacaba *Los misterios de Osiris* que duraba ocho días y, como la morbosidad humana no es nueva, los días de cartel completo eran los de muerte y resurrección del dios. Pero el diálogo más antiguo que se ha encontrado proviene de Mesopotamia. Además, aquí aparece la proyección mítica por primera vez: el dios se hace hombre, aunque solo sea para enamorar a una mortal.

Cada cultura tiene sus manifestaciones teatrales especiales: en Japón los principales teatros son el Noh y el Kabuki, que apenas han cambiado a través de los tiempos y en los que los actores siguen haciendo los mismos movimientos que hacían hace siglos. En la India se desarrolló un teatro y una cultura muy física, que va directamente a los sentimientos y emana religiosidad. Son movimientos muy concretos y estrictos donde la improvisación no tiene cabida.

Del teatro chino la manifestación más famosa es la Ópera de Pekín. En ella todo se estructura a través de la música, instrumentos y palabras. Los actores transmiten a través del cuerpo, incluso sus acrobacias representan estados de ánimo. Las manos y pies son fundamentales. Usan la voz modulada, muy musical, elevando y bajando la voz, intercalando cantos.

Antes de la Revolución china todos los papeles, incluidos los femeninos, eran interpretados por hombres. Se puede imaginar el entrenamiento tanto físico como vocal al que se sometía a los actores desde niños. El conocido actor Jackie Chan recibió su formación actoral en una de esas escuelas, donde tenían jornadas de diecinueve horas de entrenamiento compuesto por brutales ejercicios. Es comprensible que cuando llegó a la fama emprendiera una campaña en contra de estas escuelas para conseguir cerrarlas.

Como vemos, teatro y música han estado interrelacionados desde sus orígenes y en muy diferentes culturas, e incluso en la actualidad el género musical, en cine y en teatro, sigue contando con adeptos. Pero ¿qué fue primero? ¿La palabra? ¿El canto? ¿O fueron los dos a la vez? Lo más probable es que, aunque nunca podremos constatarlo, surgieran paralelamente.

Adaptado de www.redteatral.net

PREGUNTAS

7. En el texto se afirma que el origen del teatro:
   a) Está relacionado con la religión.
   b) Sucede en Grecia.
   c) Está muy claro.

8. Según el texto, el fragmento teatral más antiguo trata sobre:
   a) Los misterios de Osiris.
   b) El tema de la muerte.
   c) El amor de un dios y una mortal.

9. El texto afirma que hay culturas:
   a) Que no han desarrollado manifestaciones teatrales.
   b) En las que el teatro no ha evolucionado.
   c) Que basan su teatro en la improvisación.

10. Según el texto, en el teatro chino gran parte de la actuación:
    a) Se basa en el movimiento.
    b) Depende del estado de ánimo de los actores.
    c) No se relaciona con la música.

11. En el texto se afirma que el actor Jackie Chan:
    a) Hizo papeles femeninos al inicio de su carrera.
    b) Fundó una escuela de actuación.
    c) Se formó como actor en China.

12. Según el texto, la relación entre la música y el teatro:
    a) Probablemente existe desde sus orígenes.
    b) No existe en la actualidad.
    c) No está clara en algunas culturas.

PISTAS

- En la **pregunta 7**, la opción correcta es **a)**, porque el texto afirma que *El objetivo primordial era conectar con Dios, elemento base para la aparición del teatro en todas las civilizaciones*. Descartamos la **b)** porque lo que dice es que la palabra *teatro* viene del griego. La **c)** tampoco es correcta porque el texto afirma que *nadie se pone de acuerdo en cuál fue el inicio del teatro*.

- En la **pregunta 8**, la respuesta correcta es la **c)** porque el texto afirma que en *el diálogo más antiguo (...) el dios se hace hombre, aunque solo sea para enamorar a una mortal*. La opción **a)** se descarta porque *Los misterios de Osiris* solo se mencionan como un ejemplo de teatro antiguo. Igualmente se descarta la **b)** porque afirma que cuando se representaban *Los misterios de Osiris*, el día que trataba sobre la muerte del dios, había más público.

- En la **pregunta 9**, la respuesta correcta es la **b)** porque el texto dice, sobre el Noh y el Kabuki, *que apenas han cambiado a través de los tiempos y en los que los actores siguen haciendo los mismos movimientos que hacían hace siglos*. La opción **a)** es incorrecta porque el texto afirma que *Cada cultura tiene sus manifestaciones teatrales especiales*. Igualmente se descarta la **c)** porque lo único que dice el texto sobre la improvisación, hablando del teatro, es que *la improvisación no tiene cabida*, es decir, justo lo contrario.

- En la **pregunta 10**, la respuesta correcta es la **a)** porque el texto afirma que *Los actores transmiten a través del cuerpo*. La respuesta **b)** no es correcta porque lo que dice es que *sus acrobacias representan estados de ánimo*. Tampoco es correcta la respuesta **c)** porque el texto afirma que en la Ópera china *todo se estructura a través de la música*.

- En la **pregunta 11**, la respuesta correcta es la **c)**, pues el texto afirma que Jackie Chan *recibió su formación actoral en una de esas escuelas* refiriéndose a las escuelas de teatro chinas. La opción **a)** no es correcta porque el texto afirma que *Antes de la Revolución china todos los papeles, incluidos los femeninos, eran interpretados por hombres*. La opción **b)** tampoco es correcta porque el texto dice que cuando llegó a la fama hizo una campaña contra las escuelas de teatro tradicionales.

- En la **pregunta 12**, la respuesta correcta es la **a)**, pues el texto afirma que *teatro y música han estado interrelacionados desde sus orígenes* y que *Lo más probable (...) es que surgieran paralelamente*. La opción **b)** no es correcta porque el texto dice lo contrario, es decir, que *incluso en la actualidad el género musical (...) sigue contando con adeptos*. Igualmente descartamos la respuesta **c)** porque lo único que afirma el texto al respecto es que esta relación existe *en muy diferentes culturas*.

Preparación Diploma de Español (Nivel B1)

> **Tarea 3.** La tarea consiste en **localizar información específica** en **textos descriptivos, narrativos** o **informativos** pertenecientes al **ámbito público** de entre 100-120 palabras cada uno. Se trata de **relacionar tres textos** de experiencias, anécdotas, diarios, biografías, etc., con **seis enunciados** de respuesta preseleccionada.

TAREA 3

A continuación va a leer tres textos en los que tres personas cuentan lo que suelen hacer en su tiempo libre. Después, relacione las preguntas, 13-18, con los textos, a), b) o c).

PREGUNTAS

	a) Rita	b) Enrique	c) Maribel
13. Nunca va al cine en su tiempo libre.			
14. Trabaja los fines de semana.			
15. Tiene una segunda casa.			
16. Hace las tareas domésticas el fin de semana.			
17. Solo tiene un día libre.			
18. Siempre se levanta tarde los fines de semana.			

a) Rita
Yo soy crítica cinematográfica, así que me paso la vida viendo películas. Como comprenderéis, cuando llega el fin se semana, lo que menos me apetece es ir al cine. Sería como hacer horas extras... La verdad es que lo que más me gusta es salir de la ciudad y respirar aire puro. Mi marido trabaja en un banco y también está deseando salir de la ciudad. Hace poco hemos comprado un pequeño chalé en la sierra y prácticamente todos los fines de semana los pasamos allí. Solemos salir el viernes al mediodía y el sábado ya amanecemos allí. Nos levantamos temprano y salimos a andar o en bici.

b) Enrique
Durante la semana me levanto a las 5:30 porque vivo muy lejos del trabajo, así que los fines de semana nunca madrugo. Es mi oportunidad de descansar. El sábado tengo que dedicar un par de horas, al menos, a la casa y también suelo hacer la compra, pero por la tarde me lo tomo más tranquilo. Sobre todo me gusta leer, ya que durante la semana nunca tengo tiempo. El domingo suelo salir con amigos. Vamos a tomar una copa o vemos la última novedad de la cartelera. A veces nos reunimos en casa de alguno para ver una película en el DVD o jugar a las cartas.

c) Maribel

Mi familia tiene un restaurante y nuestro momento de más actividad es, por supuesto, desde el viernes por la noche hasta el domingo. No cerramos nunca, así que lo que hacemos es tomarnos un día cada uno. Tiene sus ventajas ir a contracorriente con el resto del mundo. Como el miércoles es el día del espectador en la mayoría de las salas, aprovecho para ir al cine: me sale más barato. Además, las tiendas y los grandes almacenes están mucho más tranquilos en medio de la semana. Pero a veces, cuando mis amigas tienen algún plan interesante y yo no puedo unirme, me da rabia.

PISTAS

- Para la **afirmación 13**, la opción correcta es **a) Rita**, ya que en el texto se afirma que *el fin de semana, lo que menos me apetece es ir al cine*.
- Para la **afirmación 14**, la opción correcta es **c) Maribel**, ya que dice que *el momento de más actividad es, por supuesto, desde el viernes por la noche hasta el domingo*, es decir, trabaja el fin de semana.
- Para la **afirmación 15**, la opción correcta es **a) Rita**, ya que el texto afirma que hace poco han comprado un chalé en la sierra.
- Para la **afirmación 16**, la opción correcta es **b) Enrique**, pues afirma que el sábado dedica al menos un par de horas a la casa.
- Para la **afirmación 17**, la opción correcta es **c) Maribel**, pues el texto afirma que solo se toma un día libre a la semana, como el resto de su familia. En su caso habla del miércoles y dice que va al cine.
- Para la **afirmación 18**, la opción correcta es **b) Enrique**, pues en el texto se afirma que nunca madruga los fines de semana.

Preparación Diploma de Español (Nivel B1)

> **Tarea 4.** Se trata de **reconstruir un texto** a través de sus elementos de cohesión (demostrativos, pronombres, repeticiones, uso de sinónimos, conectores de causa, consecuencia, etc.) del que se han extraído **seis fragmentos.** Hay dos fragmentos que sirven de distractores y que no se deben relacionar. Los textos pertenecen a los **ámbitos público** y **personal** (catálogos, instrucciones, recetas sencillas, consejos y textos narrativos de entre 400-450 palabras).

TAREA 4

A continuación va a leer un texto del que se han extraído seis fragmentos. Después, lea los ocho fragmentos, a)-h), y decida en qué lugar del texto, 19-24, va cada uno. Hay dos fragmentos que no tiene que elegir.

BEST SELLERS: EL CANON POPULAR

«Los *best sellers* –dice el historiador francés Pierre Nora– han sabido revelar, en cada momento, las sensibilidades latentes de una sociedad». Aunque, también añade, «las razones de su éxito siguen siendo enigmáticas». **19.** _____. ¿De qué se habla cuando hablamos de *best sellers*? ¿De un fenómeno socio-comercial o de un género literario?

Tradicionalmente, la historia de la literatura se ocupa de los libros de mayor calidad, desde un punto de vista intemporal. Solo importa su valor objetivo. En cambio, en los *best sellers*, el lector es quien decide. Dos cánones van a enfrentarse: el canon ideal y el canon real. **20.** _____.

No hay registros realmente fiables para fijar cuáles son los libros más vendidos de todos los tiempos. En general se considera a *La Biblia* como el número uno universal. Pero la discrepancia ya afecta al siguiente puesto. ¿Sería *El Corán* o bien el *Libro Rojo de Mao*? **21.** _____. Si recurrimos a los *rankings* actuales, tras los títulos citados, aparecen obras como el *Manual del Boy Scout* o el *Libro de los Testigos de Jehová*. **22.** _____.

Pero para conseguir una panorámica fiable sobre las obras que a lo largo de los tiempos han constituido fenómenos sociales, no podemos utilizar las ventas acumuladas a día de hoy, sino que tenemos que recurrir a las historias del libro para detectar aquellas que tuvieron impacto. **23.** _____.

De cualquier modo, es la difusión de la lectura en el siglo XIX la que creó el *best seller* de la era industrial. Y el siglo XX acaba de fijar el fenómeno. La consolidación de EE.UU. como primera potencia mundial y el triunfo de la cultura de masas abren un nuevo espacio editorial, que eclosiona en los años cincuenta. **24.** _____. Bajo esta etiqueta se colocó a una serie de novelas que consiguieron la rarísima unanimidad de público y crítica; a menudo la gente que los leía se reconocía entre sí como integrantes de una nueva cultura con fuerte base generacional.

Adaptado de www.lavanguardia.com

FRAGMENTOS

a)

Y los primeros autores literarios registrados suelen ser Charles Dickens o Agatha Christie, la autora más traducida del siglo xx.

b)

Y cuando una obra está en los dos —en la historia de la calidad y en la historia de la popularidad— pertenece a una categoría especial: el canon total.

c)

Y la amenidad, el lenguaje claro, la narratividad y el tono positivo suelen ser elementos recurrentes en su planteamiento.

d)

A veces esas ventas parecerían hoy insignificantes, pero en sociedades preindustriales con alto nivel de analfabetismo resultaban importantísimas.

e)

La opinión de este experto es un buen punto de partida para introducirnos en un fenómeno que, de entrada, plantea un problema terminológico.

f)

Esto no siempre es así: en la historia contemporánea encontramos numerosas obras testimoniales o de denuncia que han sido superventas.

g)

La respuesta cultural a esta hegemonía *yanqui* llega en los años ochenta, con el auge del *best seller* de calidad europeo.

h)

A ambos se les atribuyen ventas por encima de los 800 millones de ejemplares, pero no hay autoridad que pueda arbitrar el desempate.

Preparación Diploma de Español (Nivel B1)

PISTAS

- Para completar el **punto 19**, el párrafo que más se adecúa es el **e)** en el que se menciona a *este experto*. El demostrativo *este* indica que se trata de alguien de quien se ha hablado anteriormente, en este caso Pierre Nora. Por otro lado, el fragmento **e)** termina hablando de un *problema terminológico* y el texto continúa planteando unas preguntas destinadas a aclarar qué es un *best seller*.

- Para completar el **punto 20**, el párrafo más adecuado es el **b)**. El texto está hablando de *dos cánones* y el fragmento continúa hablando de *los dos* refiriéndose a ambos cánones, afirmando además que en ese caso la obra se encontraría en el *canon total*.

- Para completar el **punto 21**, el párrafo correcto es el **h)**. En el texto se plantea qué libro ocuparía el segundo puesto en libros más vendidos tras *La Biblia* y propone dos posibilidades: *El Corán* y el *Libro Rojo de Mao*, y el fragmento **h)** empieza diciendo *A ambos...*, que significa 'a los dos...' y se continúa hablando de las ventas que se les atribuyen.

- Para completar el **punto 22**, el fragmento adecuado es el **a)**. En el texto se están enumerando los siguientes libros más vendidos: tras *La Biblia*, se encuentran *El Corán* y el *Libro Rojo de Mao* e, inmediatamente, el *Manual del Boy Scout* y el *Libro de los Testigos de Jehová*, que son libros de doctrina religiosa o manuales. El fragmento **a)** habla de los primeros *autores literarios* que aparecen en la lista.

- Para completar el **punto 23**, el fragmento correcto es el **d)**. En el texto se habla de que no se pueden tener en cuenta solo las ventas acumuladas hoy en día, sino que hay que tomar una perspectiva histórica y en el fragmento se habla de *esas ventas*: el demostrativo *esas* indica que se ha hablado inmediatamente antes de *ventas*.

- Para completar el **punto 24**, el fragmento adecuado es el **g)**. En el texto se habla de la importancia de los EE.UU. en el fenómeno *best seller,* y el fragmento comenta la respuesta europea a la hegemonía yanqui, que es un sinónimo de *estadounidense*, el best seller *de calidad europeo*. El texto además continúa definiendo lo que se entiende por eso: *una serie de novelas que consiguieron la rarísima unanimidad de público y crítica*.

- Los otros dos fragmentos los descartamos porque, aunque tratan sobre el mismo tema, no se pueden insertar coherentemente en ningún lugar del texto.

> **Tarea 5.** La tarea consiste en **identificar** y **seleccionar estructuras gramaticales** para **completar textos** epistolares sencillos pertenecientes a los ámbitos público y personal de entre 150-200 palabras (carta o correo electrónico) con **seis huecos** para los que hay **tres opciones** de respuesta.

TAREA 5

A continuación va a leer un mensaje de correo electrónico. Elija la opción correcta, a), b) o c), para completar los huecos, 25-30.

Hola, Miguel:

Como el otro día hablamos de ir al cine este sábado, he estado mirando la cartelera para ver si hay algo interesante.

Por una parte está la de *El mar de los sueños*, que tiene buena pinta, ___25___ sé que tú no eres muy aficionado a la ciencia ficción. También está la de *El mensajero del mal*, en versión original. Me han dicho que es buenísima, pero yo no ___26___ suficiente inglés como para entender una película y me cansa leer los subtítulos.

Otra opción es *Problemas sin resolver*, aunque me suena que el otro día dijiste que ya la ___27___. Por otro lado, si ___28___ a la próxima semana, van a estrenar *Quién sabe cuándo*, de la que todos los críticos dicen que es fantástica. Contéstame pronto porque deberíamos reservar las entradas ___29___ Internet lo antes posible.

En cuanto a este sábado, he pensado que podemos comer juntos o ir al campo a dar un paseo. ¿___30___ te apetece más?

Espero tu respuesta. Un abrazo,

Jorge

PREGUNTAS

---

25. **a)** pues   **b)** así   **c)** pero

26. **a)** sé   **b)** conozco   **c)** escucho

27. **a)** veías   **b)** ves   **c)** habías visto

28. **a)** esperemos **b)** esperamos **c)** esperaremos

29. **a)** por   **b)** para   **c)** de

30. **a)** Cuál   **b)** Qué   **c)** Cómo

Preparación Diploma de Español (Nivel B1)

PISTAS

- Para el **número 25**, la opción correcta es la **c)**, porque *pero* es una conjunción adversativa que contrapone lo que sigue en el texto a lo dicho anteriormente. Descartamos la **a)**, porque esta palabra puede tener un valor causal (equivalente a *porque*) o ilativo (equivaliendo a *entonces*) y lo que sigue en el texto no es la causa ni puede inferirse de lo anterior. La opción **b)** tampoco es correcta, ya que es una conjunción consecutiva y lo que sigue no es consecuencia de lo anterior.
- Para el **número 26**, la opción correcta es la **a)**, porque el verbo *saber* se usa para hablar de habilidades, por ejemplo, hablar idiomas. Descartamos la **b)**, pues el verbo *conocer* se suele usar aplicado a lugares y personas. La **c)** tampoco es correcta porque el verbo *escuchar* no tiene sentido en esta frase.
- Para el **número 27**, la opción correcta es la **c)**, porque la acción *ver* es anterior a la del verbo *decir*, por lo tanto, lo correcto es usar un tiempo pasado anterior al pasado, el pretérito pluscuamperfecto es ese tiempo. La **a)** no sería correcta, pues *veía,* en imperfecto, tiene un sentido de acción habitual que no es el correcto en la frase. La opción **b)** tampoco es correcta porque, *ves* es presente y se está hablando del pasado.
- Para el **número 28**, la opción correcta es la **b)** porque el verbo *esperar* está en indicativo y una de las estructuras de la primera condicional, como es el caso de esta frase, es *si* + presente de indicativo + futuro de intención. La opción **a)** no sería correcta porque la conjunción *si* nunca va seguida de presente de subjuntivo. La opción **c)** también se descarta porque *si* nunca va seguida de futuro.
- Para el **número 29**, la opción correcta es la **a)** porque uno de los valores de la preposición *por* es medio de información o comunicación. Se descartan las opciones **b)** y **c)** porque no tienen sentido en la frase.
- Para el **número 30**, la opción correcta es la **b)**, pues *Qué* sirve para dar a elegir entre dos cosas de diferente categoría, en este caso: comer juntos o ir al campo. La opción **a)** *Cuál* sería correcta si se diera a elegir entre dos cosas de la misma categoría: *Entre la camisa roja y la azul, ¿cuál prefieres?* Descartamos la opción **c)** porque *Cómo* serviría para dar a elegir sobre el modo de hacer algo y no tiene sentido en esta frase.

PRUEBA 2 | Comprensión auditiva

Esta prueba consta de **cinco tareas** y un total de **30 ítems** que tienes que realizar en **40 minutos**. Las audiciones se escuchan dos veces y es importante leer las preguntas antes de que comience la audición.

Tarea 1. Se trata de **captar la idea principal** de **seis monólogos cortos** (entre 40-60 palabras) de **tipo promocional** o **informativo**: anuncios publicitarios, mensajes personales, avisos, etc., de ámbito personal y público. La tarea consiste en **seleccionar la opción correcta** entre tres opciones de respuesta.

CD II

Pista 16

TAREA 1

A continuación va a escuchar seis mensajes del buzón de voz de un teléfono. Oirá cada mensaje dos veces. Después, seleccione la opción correcta, a), b) o c), para cada pregunta, 1-6. Dispone de 30 segundos para leer las preguntas.

PREGUNTAS

Mensaje 1
1. ¿Para qué llama Elena a Marga?
   a) Para recomendarle un libro.
   b) Para pedirle un libro prestado.
   c) Para pedirle un favor de parte de María.

Mensaje 2
2. ¿A qué hora prefiere jugar Javier?
   a) A las cuatro.
   b) A las seis y media.
   c) A las ocho.

Mensaje 3
3. ¿Qué debe hacer Eduardo?
   a) Comprar entradas para el cine.
   b) Informar a Jaime de un cambio de plan.
   c) Decidir qué van a hacer hoy.

Mensaje 4
4. ¿De qué informan a la Sra. Rodríguez respecto a las clases de baile?
   a) De que han sido suspendidas.
   b) De que son lunes y miércoles por la mañana.
   c) De que es necesario un mínimo de alumnos.

Preparación Diploma de Español (Nivel B1)

Mensaje 5

5. ¿Quiénes van a ir a la ópera?
   a) Merche y Lola.
   b) Merche y su novio.
   c) Lola y la mujer de su jefe.

Mensaje 6

6. ¿Qué resultado ha tenido el equipo de Lucas?
   a) Ha ganado.
   b) Ha perdido.
   c) Ha empatado.

PISTAS

- En el **mensaje 1**, la opción correcta es la **c)**, porque María quiere leer el libro de Marga y Elena le pide de su parte que se lo preste. Es decir, le pide un favor. La opción **a)** no es correcta porque Elena no pide nada, sino que habla de un libro que ha leído por recomendación de Marga. En el caso de **b)** tampoco es correcta porque Elena tiene el libro que le ha prestado Marga.
- En el **mensaje 2**, la opción correcta es la **a)**, pues Javier afirma que no sabe si conseguirán jugar a las 4, pero dice: *Espero que lo logremos*. La opción **b)** no es correcta porque lo que se dice en el mensaje es que tendrán que esperar una hora y media (o sea, hasta las seis y media) si no consiguen jugar a las 4, que es lo que prefieren. La **c)** tampoco es correcta porque lo que dice Javier es que volverá como muy tarde a las 8.
- En el **mensaje 3**, la opción correcta es la **b)**, pues la mujer le comunica que no van a poder ir ese día al cine porque no han encontrado entradas, con lo cual ese ya no es el plan. La opción **a)** no es correcta porque la mujer dice: *no hemos encontrado entradas*, por lo que se deduce que ella y otra persona eran los encargados de comprarlas. La opción **c)** tampoco es correcta, ya que el plan para ese día era ir al cine, pero se canceló.
- En el **mensaje 4**, la opción correcta es la **c)**, porque el funcionario informa de que las clases no se abrirán *hasta que no haya al menos ocho estudiantes inscritos*. La opción **a)** no es correcta, ya que se dice que todavía no se sabe si habrá o no clases. En el caso de la opción **b)** se descarta porque lo que se mencionan son los horarios a los que la señora deberá pasarse para formalizar la inscripción.
- En el **mensaje 5**, la opción correcta es la **b)** en la que Lola afirma que su jefe y su mujer no pueden ir y que a ella no le gusta la ópera y ofrece las entradas a Merche porque sabe que a su novio le gusta mucho la ópera. La opción **a)** es incorrecta, ya que Lola afirma que no le gusta la ópera. La opción **c)** no es correcta, pues Lola ofrece ambas entradas, *puedes pasar a buscarlas*, a Merche.
- En el **mensaje 6**, la opción correcta es la **b)**, porque se dice que ha perdido cuatro a cero. La **a)** no es correcta porque dice que no esperaba una victoria, pero al menos un empate. La **c)** tampoco es correcta porque Lucas afirma que esperaba al menos un empate y que está decepcionado.

Tarea 2. Se trata de **captar la idea esencial** y **extraer información detallada** de un **monólogo** de extensión larga (entre 400-450 palabras) que describe experiencias personales del hablante perteneciente al **ámbito personal, público, profesional y académico**. Hay que responder a **seis preguntas** con **tres opciones** de respuesta.

CD II

Pista 17

TAREA 2

A continuación va a escuchar un fragmento del programa Películas que marcaron nuestra vida *en el que José nos habla de sus gustos cinematográficos. Lo oirá dos veces. Después seleccione la opción correcta, a), b) o c), para cada pregunta, 7-12.*
Dispone de 30 segundos para leer las preguntas.

PREGUNTAS

7. José dice en la grabación que *Matrix:*
   a) Ya no le gusta.
   b) Sigue gustándole.
   c) Tiene temática social.

8. En el audio, José comenta que:
   a) Empezó a gustarle la ciencia ficción gracias a su primo.
   b) Prefiere leer a ver películas.
   c) Tiene una colección de películas de ciencia ficción.

9. En la grabación José afirma que vio *Matrix:*
   a) En el cine con su primo.
   b) En casa con sus hermanos.
   c) Sin saberlo sus padres.

10. José dice en la grabación que:
    a) Ha visto las tres películas de la serie *Matrix.*
    b) Los efectos especiales de *Matrix reloaded* son peores.
    c) Ha visto *Matrix* muchas veces.

11. En la grabación José afirma que:
    a) La película es más profunda de lo que muchos creen.
    b) Sus amigos tienen la misma opinión que él de la película.
    c) Los medios de comunicación están controlados.

12. José dice en la grabación que:
    a) A su novia no le gusta *Matrix.*
    b) Ha sido su cumpleaños hace poco.
    c) Su novia no ha visto todavía *Matrix.*

PISTAS

- En la **pregunta 7**, la opción correcta es la **b)**, porque dice que sigue siendo una de sus películas favoritas. La opción **a)** no es correcta porque afirma que sigue gustándole. La **c)** tampoco lo es, pues lo que dice es que ahora prefiere las películas de temática social.
- En la **pregunta 8**, la opción correcta es la **a)**, pues afirma que a su primo le gusta la ciencia ficción y que fue él quien lo aficionó. La **b)** no es correcta porque afirma que no es aficionado a la lectura y que prefiere ver películas. La **c)** tampoco es correcta, pues dice que su primo tiene una gran colección de cómics y novelas de ciencia ficción. No dice nada de películas.
- En la **pregunta 9**, la opción correcta es la **c)** en la que se afirma que la vio por la noche sin que se enteraran sus padres. La opción **a)** no es correcta, pues su primo la vio en el cine, pero él no pudo verla. La opción **b)** tampoco es correcta porque lo que dice es que sus padres eran muy estrictos con él y sus hermanos respecto a lo que podían ver.
- En la **pregunta 10**, la opción correcta es la **c)**, pues se afirma que la ha vuelto a ver *un montón de veces*. La opción **a)** no es correcta porque afirma no haber visto la tercera. La **b)** tampoco es correcta porque reconoce que *los efectos especiales son fantásticos*.
- En la **pregunta 11**, la opción correcta es la **a)** en la que afirma que, aunque la mayoría piensa que es una película superficial, tiene un *mensaje interesante*. La opción **b)** es incorrecta, pues afirma que sus amigos se ríen de él cuando da su opinión de la película. La **c)** tampoco es correcta porque lo que dice es que los medios de comunicación controlan el pensamiento de la gente, *hacen que la gente piense lo que ellos quieren que piensen*, no que ellos mismos estén controlados.
- En la **pregunta 12**, la opción correcta es la **b)** porque afirma que su cumpleaños ha sido este miércoles. La opción **a)** no es correcta porque dice que su novia es de la misma opinión que él, es decir, le gusta *Matrix*. La opción **c)** también es incorrecta, pues afirma que ya la han visto juntos varias veces.

Tarea 3. Se trata de **escuchar** y **comprender la idea principal** de un **programa informativo** de radio o televisión (entre 350-400 palabras) con **seis noticias** pertenecientes al **ámbito público**. La tarea consiste en **contestar una pregunta** sobre cada una de ellas **con tres opciones** de respuesta.

CD II

Pista 18

TAREA 3

A continuación va a escuchar seis noticias de un programa radiofónico mexicano. Lo oirá dos veces. Después, seleccione la respuesta correcta, a), b) o c), para las preguntas, 13-18. Dispone de 30 segundos para leer las preguntas.

PREGUNTAS

Noticia 1
13. Este carnaval de Barranquilla se celebra en Madrid:
    a) Por primera vez este año.
    b) Desde 2003.
    c) Desde hace diez años.

Noticia 2
14. Los poemas de Benedetti han aparecido:
    a) En Uruguay.
    b) En Alicante.
    c) En la casa del poeta.

Noticia 3
15. La India Art Fair:
    a) Se celebra en Europa.
    b) Termina hoy.
    c) No tiene éxito.

Noticia 4
16. La última novela de Alicia Giménez Barlett:
    a) Se ha publicado antes en Italia que en España.
    b) No ha tenido tanto éxito en Italia como se esperaba.
    c) Ha sido presentada en Roma a principios de febrero.

Preparación Diploma de Español (Nivel B1)

Noticia 5

17. El Hispania London:
   a) Está dedicado a la comida europea.
   b) Se ubica a las afueras de Londres.
   c) Ocupa dos pisos.

Noticia 6

18. El Premio Extraordinario de Estudios sobre las Culturas Originarias de América:
   a) Se lleva concediendo desde 1959.
   b) Lo ha ganado Manuel Galich.
   c) Ha sido para una escritora chilena.

—— P I S T A S ——

- Para la **noticia 1**, la opción correcta es la **c)**, pues en la noticia se dice que *ocurre desde hace una década*, es decir, diez años. La opción **a)** no es correcta porque no es la primera vez que se hace el carnaval, ya lleva haciéndose diez años. Descartamos la **b)** porque lo que dice es que la fiesta colombiana fue declarada patrimonio de la humanidad desde esa fecha.
- Para la **noticia 2**, la opción correcta es la **b)** porque el audio afirma que los poemas de Benedetti han aparecido entre los libros que el poeta donó a la universidad de Alicante. Descartamos la **a)** porque lo único que se menciona es que el poeta era de nacionalidad uruguaya. Igualmente descartamos la **c)** porque no se afirma tal cosa en ningún momento en la noticia.
- Para la **noticia 3**, la opción correcta es la **b)**, en la noticia se dice que *hoy se cierra*, es decir, termina. La opción **a)** no es correcta porque se dice en la noticia que se celebra en Nueva Delhi. Descartamos la **c)** porque, al contrario, se afirma que *va cada vez mejor*.
- Para la **noticia 4**, la opción correcta es la **a)**, pues se afirma que se encuentra en las librerías italianas desde enero y que se pondrá a la venta en España en febrero, ya que afirma que la editorial española Destino lo sacará a la venta. Descartamos la **b)**, porque, al contrario, se dice que ya ha vendido más de 100 000 ejemplares. La **c)** tampoco es correcta porque en ningún momento se menciona el momento de la presentación y, además, se puede deducir que la presentación ha sido en enero, puesto que el libro salió al público en Italia durante ese mes.
- Para la **noticia 5**, la opción correcta es la **c)**, porque en el audio se dice que está *dividido en dos plantas*, es decir, dos pisos. La opción **a)** no es correcta, pues se habla de *gastronomía española* y no de comida europea. La opción **b)** también se descarta porque en la noticia se dice que está *en el corazón de la city londinense*, es decir, en el centro.
- Para la **noticia 6**, la opción correcta es la **c)**, porque se dice que la persona que ganó fue «la chilena Lucía Guerra» y Lucía es una mujer. Descartamos la opción **b)**, porque lo que se dice de Manuel Galich es que ese premio se creó en su honor y no que lo ganara. La opción **a)** tampoco es correcta porque se dice que *fue convocado por primera vez este año*. Lo que se lleva concediendo desde 1959 son los premios literarios Casa de las Américas.

> **Tarea 4.** Consiste en **captar la idea general** de **seis monólogos** o **conversaciones breves** de **carácter informal** (entre 50-70 palabras) pertenecientes al **ámbito público** y **profesional** y en los que se cuentan anécdotas o experiencias personales sobre un mismo tema. La tarea consiste en **relacionar esos monólogos** con **nueve enunciados**. Hay tres enunciados que no hay que relacionar.

CD II

Pista 19

TAREA 4

A continuación va a escuchar a seis personas hablando sobre sus planes para el próximo domingo. Oirá a cada persona dos veces. Después, seleccione el enunciado, a)-j), que corresponde al tema del que habla cada persona, 19-24. Hay diez enunciados (incluido el ejemplo), pero debe seleccionar solamente seis.

Dispone de 20 segundos para leer los enunciados.

ENUNCIADOS

a) Hace lo mismo todos los domingos.
b) No puede salir porque está enfermo.
c) Todavía no tiene claros sus planes.
d) *Hace tiempo que tiene este plan.*
e) Tiene que ayudar a su hijo.
f) Van a venir invitados a su casa.
g) Siempre sale con los mismos amigos.
h) No le apetece mucho el plan.
i) Se levanta tarde todos los domingos.
j) Tiene una celebración familiar.

	PERSONA	ENUNCIADO
	Persona 0	d)
19.	Persona 1	
20.	Persona 2	
21.	Persona 3	
22.	Persona 4	
23.	Persona 5	
24.	Persona 6	

─── P I S T A S ───

- **Persona 0. d)** Afirma que hizo *la reserva hace ya dos semanas*, eso significa que ya tenía ese plan.
- **Persona 1. f)** La persona afirma: *Se lo he dicho a unos amigos y vendrán a verlo con nosotros.*
- **Persona 2. j)** La persona dice que tienen una fiesta sorpresa para celebrar las bodas de oro de sus suegros.
- **Persona 3. c)** La persona afirma que tendrán que *esperar a última hora para ver si se hace tal como estaba planeado o se deja para el próximo fin de semana.*
- **Persona 4. a)** Describe su *rutina de cada domingo*, es decir, que siempre hace lo mismo.
- **Persona 5. h)** Se infiere de lo que dice que no le apetece el plan. Literalmente dice: *Horas y horas de pie bajo el sol...*
- **Persona 6. e)** Dice que su hijo tiene un examen y él normalmente le echa una mano con la lengua.
- Descartamos **b)**, **g)** e **i)** porque no se relacionan con ninguno de los textos.

Tarea 5. La tarea consiste en **reconocer información específica** en **conversaciones** informales entre dos personas (entre 250-300 palabras) pertenecientes al **ámbito personal** y **público**. Hay que contestar a **seis preguntas** con **tres opciones de respuesta**.

CD II

Pista 20

TAREA 5

A continuación va a escuchar una conversación entre dos compañeros de trabajo, Mauricio y Encarna. La oirá dos veces. Después, decida si los enunciados, 25-30, se refieren a Mauricio, a), a Encarna, b), o a ninguno de los dos, c).
Dispone de 25 segundos para leer los enunciados.

	a) Mauricio	b) Encarna	c) Ninguno de los dos
0. Ha llegado pronto al trabajo.		✔	
25. Va a viajar en coche.			
26. Estudió en Londres.			
27. Antes vivía en una casa alquilada.			
28. Todavía no ha visto *La viuda valenciana*.			
29. Prefiere ver una comedia.			
30. Ha venido al trabajo en metro.			

PISTAS

- El **enunciado 0** se refiere a **b) Encarna**, pues afirma que ha venido una hora antes al trabajo para poder marcharse temprano.
- El **enunciado 25** se refiere a **ninguno de los dos c)**, pues Encarna va a ir al aeropuerto en coche, pero se deduce que viajará en avión.
- El **enunciado 26** se refiere a **a) Mauricio**, pues afirma que hizo allí la carrera, es decir, los estudios universitarios.
- El **enunciado 27** se refiere a **a) Mauricio**, pues habla de que tenían ganas de tener algo suyo y menciona al dueño de su anterior apartamento.
- El **enunciado 28** se refiere a **b) Encarna**, quien afirma que *dicen* que esa obra está genial y que espera poder ir a verla.
- El **enunciado 29** se refiere a **a) Mauricio**, pues afirma que no quiere ver *El zoo de cristal* porque es un drama y que no tiene ganas de ver cosas deprimentes.
- El **enunciado 30** se refiere a **b) Encarna**, quien dice que le han dado un periódico gratuito en la boca del metro.

PRUEBA 3　Expresión e interacción escritas

Esta prueba consta de **dos tareas**. Tienes 60 minutos para hacer toda la prueba.

Tarea 1. A partir de la **lectura** de un **breve texto de entrada** perteneciente a ámbito público o personal (un mensaje, un anuncio, una nota, etc., de 80 palabras aprox.) y unas pautas, hay que **escribir un texto** de respuesta de entre 100 y 120 palabras (10 a 12 líneas). La tipología de texto es un correo electrónico, una carta, un mensaje de foro, una entrada en un blog, etc. Puede incluir descripción y narración.

TAREA 1

Usted ha recibido esta carta de una amiga.

> Hola:
>
> Te escribo porque el otro día me encontré por casualidad con Ana y Álvaro en la cola del supermercado y estuvimos hablando de que hace mucho tiempo que no hacemos nada juntas, así es que hemos decidido salir el próximo fin de semana.
>
> Por supuesto queremos que vengas con nosotras. ¿Estás libre? Espero que sí.
>
> También queremos decírselo a Sara y a Enrique. Todavía no tenemos ningún plan, ¿se te ocurre algo a ti?
>
> Contesta pronto.
>
> Un beso, Clara

Escriba una carta a Clara en la que deberá:
- Saludar.
- Preguntar por Ana y Álvaro y recordar cuándo fue la última vez que se vieron.
- Decirle que el próximo fin de semana no puede salir y explicar por qué.
- Proponer dejarlo para el siguiente fin de semana.
- Sugerir algunas actividades que podrían hacer.
- Despedirse y agradecerle haberse acordado de usted.

Preparación Diploma de Español (Nivel B1)

> **Tarea 2.** A partir de la **lectura** de **un texto de entrada** (un blog o una noticia de una revista, etc., de 40 palabras aprox.) y unas pautas, hay que **redactar un texto** (entre 130 y 150 palabras, de 13 a 15 líneas) que puede incluir descripción, narración y opinión personal. Atención porque hay dos opciones de las que se debe seleccionar una (nosotros solo le damos una).

TAREA 2

Lea el siguiente anuncio.

Participe en este concurso escribiendo un texto en el que:

- Hable del género de lectura que le gusta más.
- Diga cuál es su libro favorito y de quién es.
- Cuente cuándo lo leyó y si lo recomendaría.
- Describa las emociones que le produjo su lectura.
- Explique brevemente su argumento.

Apuntes de gramática

- Para describir, se utiliza el verbo *ser*: *Es/Fue un partido muy bueno.*

- Para valorar una actividad o experiencia pasada:
  - Si es en un tiempo pasado acabado o alejado del presente, se usa el pret. perfecto simple (indefinido): *La exposición que vi el lunes me pareció muy interesante.*
  - Si es en un tiempo pasado no acabado o cercano al presente, se usa el pret. perfecto compuesto: *Este fin de semana hemos ido al campo y he disfrutado mucho.*

- Para hablar del tiempo transcurrido desde algo:
  - *Desde* + momento concreto: *No salimos desde el mes pasado.*
  - *Desde hace* + cantidad de tiempo: *No voy al cine desde hace tres meses.*
  - *Llevar* + cantidad de tiempo + *sin* + infinitivo: *Lleva un año sin hacer deporte.*

Proponer y sugerir

- *¿Qué tal si/Y si salimos al parque?*
- *¿Te parece bien si jugamos al tenis?*
- *Yo iría a ver una obra de teatro.*
- *Podemos/Podríamos jugar al fútbol con ellos.*
- *¿Quieres que vayamos a visitar la feria?*
- *Os propongo hacer algo diferente.*

Disculparse y excusarse

- *Lo siento, pero el próximo fin de semana es imposible. Es que...*
- *Me encantaría, pero es que no tengo tiempo.*

Agradecer

- *Gracias por comprar las entradas.*
- *Os agradezco que vengáis con nosotros.*

Hablar de libros/películas

- *El libro se titula* Subir al Everest.
- *Es una novela de amor, de acción, de ciencia ficción, policíaca.*
- *El protagonista/personaje principal es...*
- *Trata de un horrible crimen.*
- *Cuenta la historia de una pareja que se encuentra después de mucho tiempo y...*

Preparación Diploma de Español (Nivel B1)

 Expresión
e interacción orales

Consta de **cuatro tareas** que hay que realizar en **15 minutos** (+ 15 minutos de preparación para las tareas 1 y 2; las tareas 3 y 4 no se preparan).

Tarea 1. Consiste en una **breve presentación** (2 o 3 minutos) en la que el candidato tiene que dar su opinión, describir experiencias, etc., **sobre un tema** o un titular que se le proporciona previamente. Además del tema, se le proporcionan unas pautas para orientarle en la exposición. Atención porque hay dos opciones de las que se debe seleccionar una (nosotros solo le damos una).

TAREA 1

EXPOSICIÓN DE UN TEMA

Tiene que hablar durante 2 o 3 minutos sobre este tema.

Hable de **a qué dedica su tiempo de ocio**.

Incluya la siguiente información:
- Cuánto tiempo de ocio tiene semanal y anualmente.
- Qué actividades de ocio prefiere.
- Cuáles son las actividades de ocio más populares en su país.

No olvide:
- Diferenciar las partes de su exposición: introducción, desarrollo y conclusión.
- Ordenar y relacionar bien las ideas.
- Justificar sus opiniones y sentimientos.

Tarea 2. Consiste en mantener una **conversación** durante 3 o 4 minutos sobre el tema de la Tarea 1 **con el entrevistador** que le preguntará por la opinión o la experiencia personal.

TAREA 2

CONVERSACIÓN CON EL ENTREVISTADOR

Después de terminar la exposición de la Tarea 1, deberá mantener una conversación con el entrevistador sobre el mismo tema.

Ejemplos de preguntas
- ¿Cree que es suficiente el tiempo de ocio que tiene?
- ¿Dedica su tiempo de ocio solo a divertirse o realiza obligaciones domésticas o de otro tipo?
- ¿Qué hizo en su último fin de semana?
- ¿Qué planes tiene para sus próximas vacaciones?

Tarea 3. Consiste en **describir una fotografía** siguiendo las pautas establecidas, y **responder** a las **preguntas del entrevistador**, que relacionará la imagen con el entorno del candidato. El entrevistador presentará al candidato dos fotografías de las que deberá seleccionar una (nosotros le damos solo una).

TAREA 3

DESCRIPCIÓN DE UNA FOTO

Observe detenidamente esta foto.

Describa detalladamente (1 o 2 minutos) lo que ve y lo que imagina que está pasando. Puede comentar, entre otros, estos aspectos:
- Quiénes son y qué relación tienen.
- Qué están haciendo.
- Dónde están.
- Qué hay.
- De qué están hablando.

A continuación, el entrevistador le hará unas preguntas (2 o 3 minutos).

Ejemplos de preguntas
- ¿Le gusta el arte?
- ¿Cuál es su estilo o autor favorito?
- ¿Tiene algún cuadro en su casa?

Tarea 4. Consiste en mantener una **conversación** durante 2 o 3 minutos **con el examinador** para simular una situación cotidiana, **a partir de la fotografía de la Tarea 3**. Se proporcionan unas pautas que hay que seguir.

TAREA 4

SITUACIÓN SIMULADA

Usted va a conversar con el entrevistador en una situación simulada (2 o 3 minutos).

Usted ha ido a una exposición de arte y le interesa un cuadro. Imagine que el entrevistador es el empleado de la galería de arte, hable con él de los siguientes temas:
- Pregúntele el nombre del autor del cuadro.
- Pregúntele el precio del cuadro que le ha gustado.
- Dígale que es muy caro y pregúntele si tiene alguna otra obra del mismo autor más barata.
- Dígale que se lo va a pensar y pídale el número de teléfono de la galería.

Ejemplos de preguntas
- Buenos días. ¿Puedo ayudarle?
- ¿De qué autor es esta obra?
- ¿Cuánto cuesta este cuadro?

Preparación Diploma de Español (Nivel B1)

PRUEBA 2  Comprensión auditiva

Cada parte está grabada una sola vez. Recuerde que, para oírlas dos veces, tendrá que volver a pulsar la pista correspondiente.

CD I			
Pista 1	Examen 1	**Tarea 1**
Pista 2		**Tarea 2**
Pista 3		**Tarea 3**
Pista 4		**Tarea 4**
Pista 5		**Tarea 5**
Pista 6	Examen 2	**Tarea 1**
Pista 7		**Tarea 2**
Pista 8		**Tarea 3**
Pista 9		**Tarea 4**
Pista 10		**Tarea 5**
Pista 11	Examen 3	**Tarea 1**
Pista 12		**Tarea 2**
Pista 13		**Tarea 3**
Pista 14		**Tarea 4**
Pista 15		**Tarea 5**
Pista 16	Examen 4	**Tarea 1**
Pista 17		**Tarea 2**
Pista 18		**Tarea 3**
Pista 19		**Tarea 4**
Pista 20		**Tarea 5**

CD II			
Pista 1	Examen 5	**Tarea 1**
Pista 2		**Tarea 2**
Pista 3		**Tarea 3**
Pista 4		**Tarea 4**
Pista 5		**Tarea 5**
Pista 6	Examen 6	**Tarea 1**
Pista 7		**Tarea 2**
Pista 8		**Tarea 3**
Pista 9		**Tarea 4**
Pista 10		**Tarea 5**
Pista 11	Examen 7	**Tarea 1**
Pista 12		**Tarea 2**
Pista 13		**Tarea 3**
Pista 14		**Tarea 4**
Pista 15		**Tarea 5**
Pista 16	Examen 8 y pautas	**Tarea 1**
Pista 17		**Tarea 2**
Pista 18		**Tarea 3**
Pista 19		**Tarea 4**
Pista 20		**Tarea 5**